JN074829

敗れし者の静かなる闘い

旧幕臣の学び舎

茅原健著

敗れし者の静かなる闘い

―旧幕臣の学び舎―

目次

正子に

はじめに

旧聞に属するが、平成一九（二〇〇七）年、教育基本法の改訂が五九年ぶりに行われた。この改訂をめぐってさまざまな意見が交わされた。しかし、教育は、法律によって律せられるものではない。その時の国家の意思を反映するものでもない。官学の圏外にいた経済学者の田口卯吉が「政府による強迫主義の教育」を否定したように、教育は、個性ゆたかな人間と文化の創造をめざすことを目的としている。

明治期の文芸評論家田岡嶺雲も、「慶應義塾や同志社がその組織を変えて、文部省の画一主義の干渉を受けるようになった後と、それ以前とを比較して、人材を出すことどちらが多いか」（「無當語」『田岡嶺雲全集』第4巻・法政大学出版局）と言っている。そう言えば、明治五（一八七二）年八月の学制発布は、官立学校はむろんのこと、私立学校、私塾、家塾にいたるまで全ての教育機関を国家の尺度で規制するものであった。従って、学校教育は国家の専権事業だという観点に立っていた嫌いがあった。

ところで、幕末の政治変動によって、徳川幕府は瓦解した。その結果、四〇〇万石の徳川将軍家は七〇万石の一小藩となって駿府に封じられた。移封された旧幕臣たちは、寒風の吹きすさぶなかで孤立した。しかし、自分たちが置かれた境遇に甘んじてはいなかった。覇権奪還という大掛かりなたくらみは無理だったが、自分たちの存在理由、戊辰敗者の復活を期すことは可能であった。

ここで、旧幕臣たちの抵抗の精神を生んだ戊辰戦争について簡単に説明しておきたい。それは、彼らの、そしてこの物語の通奏低音を形成しているからである。

武力討幕派に画策され、政権が徳川氏から朝廷に移った、いわゆる王政復古によって、徳川慶喜に辞官、納地が命ぜられた。この処置に旧幕臣たちは憤慨し、慶喜も「討薩表」をかかげて、鳥羽伏見に軍勢を進軍させ、幕府軍と薩摩・長州連合軍との極地戦となった。この鳥羽・伏見の戦いに薩・長軍が勝ったことにより、戦争は拡大し、薩・長軍と旧徳川幕府・佐幕派諸勢力との内乱に発展した。この内乱が戊辰戦争である。

内乱は、慶応四（一八六八）年一月から明治二（一八六九）年五月までの約一年五ヶ月にわたって行われた。戦いの地域は、近畿地方から東北を経て蝦夷地（北海道）に及ぶ、日本列島の東日本一帯であった。中村彰彦によれば、「朝命を奉ぜずして兵を擁して上京する者は朝敵なり」の勅書によって、禁門の変の賊軍長州軍は官軍（政府軍）に、旧幕府軍は賊軍となった。以降、上野戦争、北越戦争、東北戦争、箱館戦争（五稜郭の戦い）と両軍は転戦した。旧幕府軍は上野山では彰義隊が破れ、長岡の河井継之助が率いる北越戦争にも破れて、白虎隊の悲話を生んだ会津城も落城した。

幕府軍は敗走を余儀なくされたが、徹底抗戦を主張した榎本武揚が率いる旧幕府海軍は、江戸湾を脱出して東北諸藩の抗戦派の藩兵を糾合して、蝦夷地の五稜郭に立て籠もって政府軍の進攻に備えた。だがしかし、近代軍備を装備した政府軍に圧倒されて、五稜郭政権も降伏して、戊辰戦争は終結した。

西郷隆盛と勝海舟による江戸城無血開城という、和戦の機会があったものの、彰義隊が上野山に屯集したこともあって、幕府や佐幕派を徹底的に掃討するという薩摩、長州の一部の強行路線からこの戦は進められた感があった。この戦で傷つき、敗走を重ねて身を隠し、家族を失い、あるいは戦死した旧幕臣の数は計り知れないほどであった。終戦後の新政府がとった敗者への処遇は、幕臣戦死者は路傍に放置され、荼毘に付すことを禁じたと伝えられるほど冷酷非道であった。そして、寒冷僻地に転封された会津藩や静岡に無禄移住を強いられた敗者たちは、困窮に喘いだ。

この敗者となった怨念を背負って生きた旧幕臣たちの、いわば敗者復活戦ともいうべきものがこの物語である。幕臣のなかには、徹底抗戦派と恭順派がいて複雑な陰を落としていることも事実だった。しかし、いずれにしても、明治という新時代を迎えて、敗者が敗者のままで過ぎることは、旧幕臣にとっては無念であったろう。

その敗れた後の無念を晴らすともいうべき理念的方法としては、おおむね二つの選択肢があったと思われる。ひとつは、腰の二本差しを筆一本に持ち替えて、時の藩閥政府に筆誅を加えることであった。幕臣やその系譜に連なる新聞人が明治初期の言論活動を盛んにした。『朝野新聞』の末広鉄腸、成島柳北、『江湖新聞』の福地源一郎、『東京横浜毎日新聞』の沼間守一、『独立評論』の山路愛山、『郵便報知新聞』の栗本鋤雲などだ。彼らはその筆に載せて、薩長覇権の政治に注文を付けた。それは民意の反映であったとともに、近代言論史の一頁を刻んだのである。

さらに、言論活動といえば、木村毅が唱える「明治文学は佐幕派の文学」という視点は見逃せない。それを熟成した平岡敏夫の『佐幕派の文学史―福沢諭吉から夏目漱石まで』（おうふう・二〇一二）は、まさに戊辰戦争敗者の文学を語ったものだ。

そして、もうひとつの方法は、国家が期待する人間像ではなく、国民が期待する人間を育成することである。真理と正義を愛し、個人の価値を尊び、自主的精神に満ちた人間の育成を期さなければならない。この思いを実現するために、旧幕臣たちは教育に思いを寄せた。それは旧幕臣の存在理由を示す静かなるレヂスタンス、敗れし者の闘いでもあったのである。

「幕臭」という言葉がある。「薩長藩閥の世となった明治という時代に違和感を覚える」(中村彰彦)という旧幕臣の深層心理を表した言葉だ。中村は、旧幕臣の技術者教育というテーマで書いた拙書『工手学校』(中公新書ラクレ)の成立事情を引いて、夏目漱石はあの、平岡敏夫が「佐幕派小説」と言った『坊ちゃん』で、数学の教師を辞めて帰京した坊ちゃんが街鉄の技手になったという結末でこの小説は終わらせている、その意外な転身を「是でも元は旗本だ」と独白する坊ちゃんが、同じ「幕臭」を持つ技手の世界に回帰したのだと説明している(『幕末維新改メ』晶文社)。この情感こそが旧幕臣たちが私学教育に傾けた絆なのである。

それではこれから、旧幕臣たちが設立した学校を、その設立に関わった人物の足跡を確かめながら訪ねて行こう。それは明治新政府の官学教育ではなく、一つの連帯を持って私学教育の経営に関与した、敗れし者の静かなる闘いの物語である。

第一章　駿府学校（静岡学問所）

三つの選択肢

徳川幕府（江戸幕府）の瓦解によって、天下は三つ葉葵が枯れて菊花が栄える季節となった。近代国家の政治体制は、幕藩体制から天皇体制へと変わったのである。

徳川家は一小藩となって、静岡に移封が決定したのは、慶應四(一八六八)年七月。まだ東北地方では、内乱が続いていた。

明治元年八月一五日、徳川宗家の相続の朝旨を受けた田安亀之助は、実名を家達と改め、七〇万石を賜封され駿府府中城主として、静岡にやって来た。

幕府が倒れたあと、徳川家が家臣に対して示した身の振り方の選択肢は、三つに分かれる（樋口雄彦『幕臣たちは明治維新をどう生きたか』洋泉社）。それを要約すれば次の通りとなる。第一は、恭順の意志を表して徳川慶喜に従って静岡に移る（駿河移住）、第二は、節を枉げて朝臣として明治政府に仕える（朝臣化）、第三は、致仕（隠退）するか、商人や農民となるであった（帰農商）。しかし、内向的な選択がもうひとつあった筈だ。それは、あくまでも新政府に抗して戦うである。榎本武揚らの武闘派グループはその代表であるが、武器を持たない抵抗派がいた。恭順して駿府に落ちた者にも、新政府に使えた者にも、商人や農民となった者にも、旧幕臣としての精神的底流には、「あくまでも戦う」が隠然として流れていたと思われるのだ。

第一の選択肢によって、徳川慶喜に従って静岡に移住した者も多くいた。それらの移住者は、おおむね恭順派であった。おおむねといったのは後に述べるように面従腹背の者たちもいたからである。しかも無禄（無職）移住した旧幕臣たちの生活は貧困状態にあった。無禄移住者は、明治二（一八六九）年一一月現在、駿府、遠江、三河の地方で、その世帯数は六、五七二世帯。家族や使用人を加えると、三万八千人にのぼったといわれている。これらの無禄移住者たちのほとんどは、民家や寺院に分宿した。

駿府ではこれらの者を「お泊まりさん」と呼んだという。なかには、資産をもった旗本の落人がいて家を建てたものもあったようだが、何者かによって放火されるという悲惨な目にあった。とにかく、四〇〇万石の徳川将軍家が七〇万石の一藩主となって封じられたのだから、藩としては、移住者の生活を賄うことは無理だった。「御貸人」といって、諸藩に有能な人材を貸し付ける、実質的にはいわゆるリストラで人減らしの手を打ったりもした。

後に登場する史論家山路愛山の一家は、無禄移住者として箱根の山を越え、麻布中学校の創立者江原素六は、追っ手を逃れて、江戸から船に乗って清水港に辿り着いた。小説家として「由井正雪」の代表作を持つ塚原直太郎（靖・渋柿園）も無禄移住者で、食うや食わずの生活であった。塚原によると、海路で清水港に向かった船中は鮨詰どころか、目刺し鰯を並べたような地獄のありさまであったという。

第二の選択肢によって江戸に残った者もかなりいた。しかし、朝臣になって恭順したのかというとそうでもなかったらしい。赤松範一が編集した『赤松則良半生談』（東洋文庫・平凡社）のなかに、「幕臣の去就」という補注がある。それによると、自分たちの所領の安全を考えて朝臣になった者もいたが、東国に領地のある者などで、朝臣となった者は稀であった。しかも、朝臣となった者でも必ずしも徳川家に背くという意志があった訳ではなかった。だが、世間では朝臣となった旗本たちは「節義を敵に売った卑怯者」のように指弾され、江戸に居住するのが心許なく思われて仕方なく領地に戻ったり、あるいは江戸に居ても門外に出るのを憚って屏息していたという。

また、第三の選択肢により農民や商人になった者もいた。しかし、田畑山林を買い求めて農民になった者は少なく、駿河に行っても生計が立つ見込みもなく、主家に迷惑をかけてはいけないと、江戸で商人になった者が多かったようだ。しかし、「士族の商法」という言葉が生まれたように、その結果はほとんどが失敗であったと伝えられている。

ともかく、敗者の身の振り方は一口でいえば、惨めであった。小藩になったが石高に応じた軍隊は持ったものの（陸軍局も置かれた）、徳川家の戦争放棄、軍縮という路線は引かれていて、これまでのような軍隊を持つことは許されなかった。謀反を起こさないかと新政府が目を光らせていたからだ。

しかし、一敗地にまみれた徳川残党ではあったが、人間の不朽のテーマである、子弟の教育ということは忘れなかった。それは、新しい生命を吹き込むことであった。旧幕臣たちの「あくまで戦う」という精神の再興は、幕府時代に蓄積した文化や教育の知的遺産を継承して、官製とは違った教育に意を注いで自立の道を求めることであった。

駿府の明新館と甲斐の徽典館

このように江戸時代は、幕府の直轄地であった駿府藩（静岡藩）の教育に関する情熱は、後に見る静岡学問所が設立される以前にも素地はあったといえる。それは、安政五（一八五八）年に、徳川幕府が駿府在住の子弟のために設置した明新館という教育機関の存在である。それは静岡学問所の前史ともいうべきものなのだ。

明新館は、勤番組頭の小栗庄右衛門の尽力により、当初は、目付役宅で授業をしていた。安政七（一八六〇）年には、校舎が新築された。そのころは、学問所と呼んでいたが、文久元（一八六一）年一二月二八日に明新館と名付けられた。学科目は、四書五経の漢学で、通学生三〇〇名、蔵書は二〇〇〇部を数えた。

この明新館が、藩校とやや趣を異にするところは、藩校は士分以上の子弟が学ぶところと限定されていたが、ここでは町方や在方などの身分に関わらず学ぶことが出来た。四民平等である。この伝統が、静岡学問所にも受け継がれている。したがって、静岡藩の教育の伝統は、この明新館から始まったといえるだろう。

ところが、藩で経営を続ける資金の手当が苦しくなり、当時の幕府に援助を求めた。しかし、幕府も財政難とあって、明新館を維持する資金のメドがたたず、「追って沙汰する」との通知が来ただけ。その後何の音沙汰もなく、慶応四(一八六八)年二月に廃校となった。約一〇年間の命であった。

一方、甲斐国（山梨県）甲府にも江戸の昌平坂学問所の分校として作られた徽典館という学問所があった。昌平校や江戸城の紅葉山文庫から蔵書の一部が移管されて、四書五経や政道論を教えた。初代学頭は、友野霞舟（幕臣・のち昌平校教授）で、副が乙骨耐軒（乙骨太郎乙の父親）であった。後の学頭（校長）には、田辺太一や中村正直らが就任している。太郎乙、太一、正直は、この後でしばしば登場する。この教育機関も質的に高い教育をしており、静岡の明新館とともに、東海学壇の双璧といわれたという。その徽典館は、現在の山梨大学に受け継がれている。

文武両道

静岡市は富士の霊峰を仰ぎ、気候温暖、風光明媚な土地柄だ。商工業が発達し、お茶の集散、加工が盛んな茶どころでもある。また、弥生時代後期の集落遺跡の登呂遺跡があり、住居空間と生産空間とが複合した遺跡として注目を浴びた。これは、静岡の歴史を伝える誇るべきモニュメントとなっている。そしてまた一方、徳川家康が隠棲して居城とした、駿河駿府城のあった城下町でもある。さらに静岡県中東部に目を転じると、東海道の宿場町として栄え、水野氏の城下町であった沼津市がある。この二つの城下町が近代日本教育史の曙光をかざしたのだ。

静岡藩が作った教育機関は、二つあった。駿府学校（静岡学問所）と徳川兵学校（沼津兵学校）とである。駿府学校が「文」、徳川兵学校が「武」の教育を行った。静岡藩は、文武両道の教育システムをつくったのである。

まず、学校の呼び名だが、名前というのは存外大事だ。後世には通称が一般化されがちだが、地名と同じように名前は歴史の系譜を示している。はじめ府中学問所といった駿府学校は、明治二（一八六九）年六月に、府中（駿府）が静岡と改称されたことによって、静岡学問所となった。だから創設当初は駿府学校と呼んでいた。そして、後に述べる徳川兵学校も当初はただ「陸軍学校」と呼ばれていたが、後に制定された規則書には、「徳川兵学校掟書」となっており、その「掟書」に「沼津表の兵学校」とあるようにその後に、土地の名前を冠した「沼津兵学校」となった。

後にふれるが、この兵学校を藩庁所在地の静岡に置かず、そこから離れた沼津にもっていったのは、それだけの理由があった。それはともかく、これからは、通常、普及している静岡学問所、沼津兵学校と表記する。

明治元（一八六八）年九月八日、静岡学問所の布令が出された。

江戸幕府の教育施設であった昌平坂学問所（昌平黌）を新政府に引き渡した後、寺社奉行であった林昇（学齋）が用人となって徳川公に従い駿府に移住して、駿府藩のために新しい学校づくりを始めた。それが静岡学問所である。

当初「府中学問所」として創設されたこの学問所は、駿府城の四つ足門にあった元定番屋敷内（現在の静岡地方法務合同庁舎付近）に明治元（一八六八）年に創設された。現在、そこに「静岡学問所跡之碑」がある。

静岡学問所が引き継いだ昌平坂学問所をはじめ、開成所、横浜仏語伝習所は、江戸幕府の教育施設であった。それらの教育施設は次のような歴史を持っていた。

昌平坂学問所は、寛永七（一六三〇）年、上野忍岡の林羅山の家塾が始まりで、維新後は、昌平校、大学校となって、新政府の管轄となり、明治四（一八七一）年廃止された。開成所は、外国語、自然科学、兵学などを教えた洋学教育機関で、蕃書調所を洋書調所と改めて、文久三（一八六三）年に開成所となった。

そして、横浜仏蘭西語伝習所は、フランス語の通訳養成と技術伝習に携わる人々のために設置された。この仏語伝習所の仕掛け人小栗上野介は、強硬な薩長征討論者であったため、郷里で新政府軍に捕らえられて刑死した無念が伝えられている。『勝てば官軍、負ければ賊軍』なのか？」という問題意識を持って小栗上野介を書いたマイケル・ワートの『明治維新の敗者たち―小栗上野介をめぐる記憶と歴史』（みすず書房）という好著がある。

これらの江戸幕府の教育機関の教授や学生、そして蔵書の一部が静岡学問所に移ってきたのだ。これは当時における最高水準の学問が静岡に来たことを意味する。西欧文化を勉強する、いわば学問のメッカとなった。設立当初は旧幕臣の子弟を教育することを目的としたが、その後、旧幕臣の子弟ばかりでなく、希望する者は誰でも就学できるように門戸を開いた。遠く、福井や徳島から留学生がはるばるやって来た。静岡学問所は他藩のモデルケースにもなった。このように静岡学問所は、静岡藩の教育の中心的存在として、さらには日本の教育・文化の先進的役割を果たしたのであった。

学頭・向山黄村

この静岡学問所の頭取、すなわち校長は向山黄村である。

向山黄村は、漢詩人として名高い。幕臣。儒学を学び、昌平坂学問所に入り、頭角をあらわして教授方出役となる。水野筑後守に認められて目付に登用された。開国主義の主張をもっていた黄村は、小笠原直行とともに京に上って、鎖国主義の公卿を説得するが不調に終わった。これによって、直行とともに譴責を受けている。この「譴責」についてのエピソードを宮武外骨が、「徳川幕府の末路おもしろくまた憫なり」（『筆禍史』・雅俗文庫）で紹介している。

その後、黄村は、徳川昭武に従って、田辺太一、渋沢栄一らとともに、フランスに行きナポレオン三世に会っている。帰国したとき、幕府は瓦解寸前であった。維新後は、徳川慶喜に従って駿府に移住した。徳川家に殉じるという心馳があった。

その黄村は「静岡」の名付け親として知られている。静岡藩は、江戸時代は「駿河府中藩」と呼ばれていた。しかし、これが旧幕臣、とくに新政府を容認した恭順派の耳には「不忠」と聞こえた。そこで、浅間神社の裏手にある賎機山（しずはたやま）に因んで、「賤機山の丘陵」という意味から「賤ヶ丘」（しずおか）とすることに、協議に集まった重臣の間では決まった。ところが、これを知った藩校頭取の黄村は、「賤」はいやしいと読めて面白くない。明治となって、世の中も静かになった。その「静」の字を使って「静岡」としたらどうかというと、皆が賛成して「静岡」となった。この地名の由来については、地藩庁跡ゆかりの地にある「静岡の由来」の碑文と『静岡地名辞典』（ＮＨＫ静岡放送局）などによった。だが、これには別説がある。まず、「府中」が「不忠」と聞こえたというのは俗説に過ぎない。黄村が名付け親というのも確証はない。実際は、「府中」という地名は各地にあって紛らわしいから変更するようにとの新政府から命令があり、その候補に「静」、「静城」、「静岡」の三つを提示したところ、「静岡」が採用されたというのだ。しかし、この三つの候補名があがった審議過程の説明はない。そして、「しず」は、駿府城の北にある賤機山の「しず」と考えられるという（前林孝一良『徳川慶喜　静岡の３０年』静岡新聞社）。

話は変わる。明治一七（一八八四）年頃のことだ。勝海舟、古賀謹一郎、向山黄村らが旧幕臣による維新史を残そうと、「徳川氏実録」撰述の話があった。結構な話といいながら乗り気薄な海舟、責任の伴う執筆を避ける謹一郎、海舟の命（執筆阻止のためといわれている）で遊説をさせられて席の暖まらない黄村といったあんばいで、結局、佐幕派史観を基調とする「徳川氏実録」は、立ち消えになった。勝海舟が「徳川氏実録」の刊行を嫌ったのは、幕末の混乱期に海舟と慶喜とがしばしば意見の対立があったからのように思われる。

ところで、「王政復古史観」に対抗する「佐幕派史観」に対して、例えば、『旧幕府』を創刊した戸川残花の『幕末小史』は、「漫りに幕吏にのみ称賛の辞を寄せて」いるとして、山路愛山は、旧幕臣に肩入れした戸川史観を全面的に支持はしなかったという（坂本多加雄『山路愛山』吉川弘文館）。これは愛山のキリスト教徒のリアルを思わしめるが、戸川残花の評伝『油うる日々』（目時美穂・芸術新聞社）では、敗残の残花ではあったが、凝り固まった佐幕史観の持ち主ではなかったとも言っている。

この戸川史観とは逆に、順逆史観と言うのがある。薩長の正義の軍隊（官軍）が旧幕府の軍隊（賊軍）を打ち負かして近代国家を成立させたという歴史観である。例えば、こんな話がある。沼津兵学校が廃止になり、上京して陸軍参謀局に出仕した中根淑（香亭）が『兵要日本地理小誌』を編纂したときのことだ。『小誌』に戊辰戦争について記述する箇所で、幕府軍を「東軍」と表記した所、上司の長州出身で、戊辰戦争では新政府軍の鳥尾隊を率いて戦った鳥尾小弥太から、それを見とがめられて、「賊軍」と書き改めるようにと厳命された。これに対して中根は、当時の体制は定まっておらず、「東兵をもって賊となす理義共に許さない」と言って頑として聞き入れなかったという(大野虎雄『沼津兵學校と其人材 附属小學校並沼津病院』安川書店)。

巷間流布されている歴史記述には、勝てば官軍、負ければ賊軍を正史とする「順逆史観」が往々にしてある(中村彰彦「順逆史観の登場」『幕末史かく流れ行く』中央公論新社)。

当代一流の教授陣

さて、静岡学問所の教授陣は当代一流の学者が集まった。そのうちの代表的な何人かを紹介しよう。

津田真一郎(真道)・美作国津山(岡山)の出身。幕末に幕臣に登用される。藩籍を脱して苦学したが、勝海舟に引き立てられて蕃書調所に出仕し、幕命によって西周とともにオランダに留学して法制学を学んだ。帰国してオランダで学んだ講義録を『泰西国法論』と題して出版。これは日本初の西洋法学の紹介となった。帰朝後、開成所教授となり、幕府が政権を奉還すると聞いた頑迷の徒に不穏の動きがあると知った真道はその非を諭した。維新後は静岡に移住して静岡学問所の教授となった。

河田熙（貫堂）・幕臣の儒者だ。外国奉行支配組頭となって、フランスに渡った。横浜港を鎖港するという使命を帯びたものであったが、その不可能なことを建言して、免職閉門となった。維新の後、徳川家達に従って静岡に移住。学問所では家達の教育掛を務めた。そして、廃藩置県後、家達の家扶となって共に東京へ移住した。

外山正一（〻山）・静岡藩士。一六歳で開成所教授方になる。その後、中村正直らとイギリスに留学。幕府瓦解後に帰国した外山は、静岡学問所の教授となり英学部長を兼ねた。また、社会学や哲学を講じて欧化主義を鼓吹した。その外山の欧化進歩主義は漢字廃止論までに及び、静岡県出身の植物学者の矢田部良吉と羅馬字会を創立している。矢田部に『羅馬字早学び』の入門書がある。

ところで、この国では、ときどき、「日本語」が話題になる。古くは賀茂真淵の「国意考」、幕末には前島來輔（密）の「漢字御廃止之議」、明治時代の福沢諭吉の「文字之教」、西周のローマ字推進論「洋字ヲ以テ国語ヲ書スルノ論」などがあり、敗戦後には志賀直哉の「国語フランス語化論」などが飛び出した。難解、不便を論じて自国語を放棄する自己喪失感とは、一体何だろうか。この国語国字問題の歴史を論じた福田恆存の『国語問題論争史』（新潮社）が貴重な一冊だ。それに、阿辻哲次の『戦後日本漢字史』（新潮選書）が戦後の国語改革を検証して面白い。

加藤弘之・但馬（兵庫）出石藩の出身。幕臣に登用され、幕府の開化路線の洋学者として働いた、幕政の頭脳であった。だが、新政府になると官僚の立場に立って、彼の考えは官僚臭がつきまとった。晩年は思想の一大転換を来して、天賦人権否定論、キリスト教排撃論を展開した。森有礼の「明六社」の有力なメンバーの一人。

その「明六社」は、日本で最初の学術上の研究団体と目される「学会」で、啓蒙的結社であった。その言論活動は、明治新政府の国策路線に沿って、学術の近代化の基準を示すとともに、文明開化の方向性を見定め、思想界の封建性を排除しようと試みるものであった。その機関誌として『明六雑誌』を刊行した。メンバーは、森有礼をはじめ、加藤弘之、福沢諭吉、西村茂樹、西周、津田真道、中村正直、杉亨二、箕作麟祥、箕作秋坪ら当代一流の洋学者たちが顔を揃えている。

杉亨二・両親を早く亡くした亨二は、幕府の時計師上野俊之丞に預けられて苦学をする。その後、勝海舟の知遇を得て、蕃書調所に出仕。欧米の統計書に驚いて、静岡奉行中臺仲太郎の協力を得て自ら街頭に立って、静岡、沼津地方の「政表」（近代的な戸籍調査）を作った。わが国の統計学の開祖といわれている。

杉浦譲・甲府の徽典館に学んだ。ピラミッドとスフィンクスを最初に見た日本人といわれている。郵便事業をスタートさせた役人だ。日本の郵便事業というと近代日本郵便の父と呼ばれる前島密の名前が浮かぶ。前島密は、戦後発行された文化人切手に西周、森鷗外などとともに記念切手になっている。しかし、こういう事業には必ず裏方がいて、前島は郵便事業の発案者だが、実際の事業を具体的に進めたのは杉浦であった。

名村五八郎・オランダ通詞の家に生まれた。英語、ロシア語、漢学に精通していたという。第一回遣米使節の首席通詞を務めた。北海道に最初に創設された「英語稽古所」で通詞の育成に当たり、北海道英語学の基礎を築いたといわれる人物。

そのほかに、学問所の漢学部長の中村正直（中村については後に述べる）、『英和対訳袖珍辞書』に柳河春三らと不規則動詞を増補した堀越五郎乙（亀之助）らがおり、西周も顧問として関与していた。

これらの教授陣によって、学問所では、洋学を中心に国学、洋算（数学）などが教えられた。この教育機関の存在は、維新後の不遇をかこつ小藩としては画期であり、一時的ではあったにせよ、近代日本教育史のエポックを画したのであった。

E・クラーク先生

もうひとつ特記すべきことは、アメリカの化学者、E・W・クラーク（一八四九〜一九〇七）を招いて伝習所を設立し、物理、化学の実験をはじめ数学、語学などを教えたことだ。太田愛人の「化学教育の先駆者　静岡のクラーク」（『明治キリスト教の流域―静岡バンドと幕臣たち』築地書館）は傑出したクラークの評伝である。

それによると、アメリカの宣教師クラークが静岡にやって来たのは、勝海舟の周旋であったという。海舟は、西欧文明を中心とした新しい教育システムに強い関心を抱き、開明的であった福井藩の松平春嶽が招いていたアメリカ改革派教会の宣教師で科学者のW・E・グリフィスに手紙を書いて、単に生活のために教師をやっている人物ではなく、正規の教育を受けた専門家を招きたいと依頼した。それが、明治四（一八七一）年十月に来日した、クラークであった。

クラークの授業の取り組みが紹介されている。「午前は語学、倫理、地理、歴史などのいわゆる英学を教授し、午後は二時から五時まで物理、化学、数学を英語、フランス語をもって教授し、昼食は馬で帰宅し、再度登校するという超人的な日課」であったという。クラークはクリスチャンで希望する学生には自宅で福音を説いた。

大正期に活躍した政治学者の吉野作造に「静岡学校の教師クラーク先生」（『新舊時代』昭和二・二）という文章がある。中村正直の訳書『自由之理』の序文を書いたクラークという外人教師の事跡を探索する文章で、古本屋で求めた一冊の本から「静岡県住　美国クラーク」署名の「諸県学校ヲ恵顧スルコトヲ勧ムル建議」という一文を見つけ、その文章全文を引用して賞揚している。吉野は、クラークの文章を次のように要約している。

第一に教育の中央集権化を批判している。第二に教育の環境は大都会を避けて地方小都会が望ましい。第三に、現に自分が教育している地方の生徒は優秀の士が多い。第四に、地方で教育した有為の青年を中央政府が引き抜くのは弊害がある。第五は、人材を地方で養うことは急務で、地方学校を援助すべきである。

日本の教育の中央集権化の弊害を明治五（一八七二）年の段階で、外人教師クラーク先生は指摘しているのだ。

同じようなことを、第三章で紹介する工手学校が創設されたとき、田舎山人が、「地方にも工手学校の設立を望む」という意見を『日本鑛業會誌』（明治二一・三）に投稿した。

「江戸ノ真中ニ工手学校ト云ヘル実地ノ速成学校新設ニ相成リ、時節柄頗ル御盛ノ由承リ、日本ノ工業ガ将来愈々発達スベキ吉瑞ト存ジ、山人モ乍陰喜ビ居候」と挨拶して、しかしながら、設置学科のうち造船、機械、造家（建築）、舎密（化学）などは、都市にある工場で実地の勉強が出来るだろうが、鉱山科は、「輦下（首都）広シト雖ドモ何レノ場処ニ於テ其ノ実地演習ヲサセラルゝニヤ」といって、鉱山科だけでも、たとえば佐渡ノ相川（新潟県・佐渡金銀山）、筑後ノ三池（福岡県・三池炭坑）、肥前ノ高島（長崎県・高島炭坑）などの地に開学すれば、理論と実地が相まって教育の効果は倍増すると提案している。

話は、一足飛びに昭和時代になる。かつて高度経済成長期に、「工業等制限区域については、工業及び大学等の新設及び増設を制限し、もって既成市街地への産業及び人口の過度の集中を防止し、都市環境の整備及び改善を図る」とした「工業等制限法」（正式には、「首都圏の既成市街地における工業等の制限に関する法律」）によって、東京の人口の逓減化と東京一極集中を排除しようという政策が打ち出されたことがあった。

この法律は、首都圏と近畿圏における大学などの教室の新設、増設を制限する「私立大学追い出し政策」といわれたものだ。この法律によって、一時、東京にある私立大学が地方に分散、移転したことがあった。しかし、地方（と言っても東京近県だが）の不便さや、それにつれて学生の応募が減少し、学生の質（偏差値）が低下したという理由から、やがてこれらの大学のいくつかは、都心回帰現象を起こして、東京に舞い戻ってきた。昭和三四（一九五四）年に制定されて、いろいろと改正されたこの場当たり制限法は、平成一四（二〇〇二）年に廃止となった。

それにしても、明治時代から続く「東京に遊学」するという地方社会の中央志向が根強くあったことから、東京で四年間をエンジョイしたいという若者のライフスタイルの受け皿を東京の大学が引き受けている。これは教育の中央集権化現象の悪しき結果だといえるだろう。一九七〇年代に、中央集権に対する反論として「地方の時代」が盛んに論じられたことがあった。しかし、これもわが国特有の精神的風士である健忘症に過ぎなかった。二〇一四年、「地方創生」という東京一極集中を是正するというお題目もその成果は疑わしい。

スパイされていた

それはともかく、静岡学問所やクラークの伝習所は、やがて明治新政府に吸収される。明治四（一八七一）年の廃藩置県、明治五（一八七二）年の学制発布などにより、軍人はいるが教育者の人材が払底していた明治新政府が、学問所の学者たちを東京開成所（東京大学の前身）などに引き抜いたのである。そして、クラークが敗北したナポレオンが流された島にたとえて、「大君制のセント・ヘレナ島」といったという静岡藩の学問所は、明治五（一八七二）年八月三日、文部省第一三号布達によって、四年余という短い期間で閉校することになった。

静岡学問所の資料が余り残されていないという指摘がある。その原因のひとつは、新政府があくまでも「賊徒」として静岡学問所の教授の一部に警戒の目を持っていたため、生徒たちの履歴などの関係資料を焼却したという説がある。また、洋学、とくにキリスト教宣教の疑いをもたれていた学問所の教授には、厳しくマークされていた節があったという。太田愛人は、「徳川直参でしかも英学に転じていった新進の学者が、新政府に探索されマークされていた」と、中村正直（敬宇）の弟子杉山孫六の例を引きながら、「諜者正木護の耶蘇教探索報告」という文書によって立証している。諜者はスパイ、耶蘇教はキリスト教のことだ。

後に述べる沼津兵学校の卒業生、塚原直次郎は英学、漢学の塾を開いたが、幕臣残党が集まって武術の訓練に余念がなかったことから、薩長新政府から塚原の動向が監視されていたという。一方、明治三（一八七〇）年の大学南校規則には「諸生徒、洋服、無刀、無袴、禁止」とあるというから、生徒たちは袴を着け、刀は玄関預けて教場に向かったらしい。維新の戦後処理は未だ終わっていなかったのである。

静岡バンド

静岡学問所が閉校した後は、賤機舎という英語学校となり、伊庭八郎と遊撃隊を脱走した旧幕臣の人見勝太郎が経営に当たった。この英語学校は宣教師マクドナルドを招いて、理科、博物、地理、文法などを教えた。そして、この学校から静岡メソジスト教会へと連なる人物たちのほとんどが旧幕臣の子弟であった。メソジスト教会の牧師で民俗学者の山中笑（共古）を始め、土屋孫六、村松一、露木精一、佐藤重道、平賀敏、黒川正、松田定久などを輩出している（深町正勝「静岡宣教事始」キリスト教史談会・同『カナダ・メソジスト教会の伝統―静岡教会の歴史を辿って』更新伝道会）。

この「神に仕えるサムライたち」（樋口雄彦『旧幕臣の明治維新』）によって創立された静岡教会が後に「静岡バンド」の源流となった。この静岡バンドは、プロテスタント発祥の地である横浜バンド、熊本バンド、札幌バンドと併称されている。山中笑、土屋彦六とともに平岩愃保、山路愛山、中村正直などが主要なメンバーとしている。なお、さきに挙げた太田愛人の『明治キリスト教の流域』（築地書館）では、これらの人物のなかから「洋学者の家系　杉山孫六と土屋彦六」、「医療宣教師　マクドナルド」、「民俗学の開拓者　山中共古」などの論考にまとめられている。

このように、倒れても立ち上がる気運が静岡藩に胚胎していた。戊辰敗者の復活が蠢いていたのである。これが薩長新政府にとって気がかりであったのだ。特に、国家神道に依拠する為政者にとって、神の前では人間は平等であるというキリスト教の新思想は、脅威であったに違いない。

第二章　徳川兵学校（沼津兵学校）

頭取・西周

沼津兵学校は、静岡学問所と同時並行的に設立された。江戸幕府が残した資材と人材を基に旧幕府陸軍の幹部が中心となって、兵学校設立の準備が進められた。この学校の設立趣意は、静岡に無禄移住させられた旧幕臣の授産（失業者などに仕事を授けて、生活の道を得させること）と、徳川幕府が積年に渡って欧州の新知識を導入してきた西欧文明を活用しようと考えたことにあった。その中心人物は徳川家陸軍重立取扱阿部邦之助と同撤兵頭江原素六（鑄三郎）であった。

阿部はこの学校の組織を充実するため、旧幕府の陸軍関係者を呼び寄せ、西周を頭取として招くことを決めて、その斡旋を大築保太郎に依頼した。大築保太郎（尚志）は、佐倉藩の出身。幕臣に取り上げられ、洋式軍隊編成などにあたった人物。維新後は駿府の移住に従って兵学校の教授選任などに奔走した。西が東京へ去った後の兵学校頭取になっている。

ちなみに、保太郎の四男、大築佛郎は、女子教育の重要性を考えて、明治三八（一九〇五）年、麹町女学校（現・麹町学園女子中学校・高等学校）を創設している。

かくして西周を頭取として明治元（一八六八）年一二月に学校の組織、規則を決めた「徳川家兵學校掟書・八四條」と「徳川家兵學校附属小學校掟書・三一條」が出来、旧沼津城の二の丸御殿を校舎として、明治二（一八六九）年一月に開校した。

初代頭取（理事長）西周は、津和野藩出身の哲学者。徳川慶喜のブレーンとなり、幕臣となって蕃書調所に入った。ために、幕府瓦解後も徳川家との関係が続いて、兵学校の頭取を依頼されたとき「一度徳川氏の重用を受く、何ぞ栄を願い禄を求めて彼西藩戦勝の士と伍せんや」といって引き受けたという。幕臣の心意気である。

沼津に来たときの西は、ファッションも西洋流で、まだ蓄髪していなかったが、周囲の非難を恐れて、仮髷をかぶっていたという。文明開化の気風も西とともに沼津にやってきたのだ。西洋流ファッションといえば、後に登場する尺振八が留学先で丁髷をおろして、洋服姿になった写真を撮って物議をかもした。ヨーロッパに行った留学生たちは、外地では御国風を守るようにいわれていたが、物見高い見物人に囲まれて、榎本武揚もオランダでは洋服を着た。赤松則良は、月代をはやして、「前の方から見ると西洋風の斬髪で後ろの方には髷を付けて帽子で之を隠してゐた」

という苦心談がある（『赤松則良半生談』東洋文庫・平凡社）。

それはさておき、西は沼津兵学校を兵学だけではなく、文学科を設けて、政律（法学・哲学）、史道（文学・歴史学）、医科（医学）、利用（工学・農学）の四学科を設け、沼津兵学校をいわば総合大学にする構想を持っていた（「徳川家沼津学校追加掟書」）。エンサイクロペディスト西周の面目躍如とした構想だ。しかし、この構想は、理由は不明らしいが、残念ながら実現しなかった。

兵学校を去った後の西は上京。沼津兵学校時代の親友、赤松則良の家に寄宿して、私塾育英舎を開き、そこで講義した「百学連環」で近代科学を分類している。西の哲学は、百科全書的であり、総合的であった。「哲学」、「主観」などの哲学用語を創り、近代日本の哲学の父と呼ばれている。

その西が後に創設に関係した学校に、明治一四（一八八一）年に設立された獨逸学協会学校（現・獨協学園）がある。獨逸学協会が母体となった、ドイツ啓蒙主義による教育を指針とした学校だ。この学校の創立には勝海舟も関係している。また、『獨協学園百年史』（獨協学園百年史委員会編）は、西の育英舎を学園の遠祖と位置づけている。西のほかに明治初期のドイツ系政治学の喧伝者として思想界に重要な役割を演じた加藤弘之（静岡学問所教授）、長州藩倒幕派の品川弥二郎（幕末・明治期の政治家）、やはり長州藩の出身で、ドイツ兵制を学んだ桂太郎（明治の政治家・陸軍大将）などが創設に関与した。

この取り合わせは、幕臣という視点から見れば呉越同舟だ。それはこの学校の当初の成立事情が国策機関という性格によったためだろう。明治一六（一八八三）年には、文部省は、東京大学で英語による授業を廃止し、日本語を用いることにして、なおかつドイツ学術の採用を決めるという背景もあった。獨逸学協会学校はそのための教育機関だった。私学にしては官の補助金が多かったともいう。明治期の詩人で随筆家の大町桂月や童話作家の巌谷小波が独協で学んでいる。また、岩波書店を興した岩波茂雄、医者で詩人の木下杢太郎もドイツ語を学びに通っていたという。

ここで余談をはさむ。西と同じく津和野藩出身の森鷗外に「西周傳」という評伝がある。少年時代に上京した鷗外は、神田西小川町の西周の家に寄宿して勉強した。さらに、西の縁戚に当たり、榎本武揚とも親戚関係にあった赤松則良（沼津兵学校一等教授）の長女登志子と西の媒酌で結婚している。青少年期の鷗外は西に恩顧があるわけだ。ところが登志子とは数年足らずで離婚してしまった。これを知った西は激怒して、鷗外の出入りを生涯禁止したという。

西周没後、鷗外はその養子から西の伝記執筆を依頼された。それが「西周傳」である。ところが、この伝記、正確、詳細な考証をもって鳴る鷗外先生にしては、誤認が散見されるというのだ。どうも、出入り禁止を食らった西周の伝記を書くのは、あまり気が進まなかったのではないかという臆説もある。

深謀遠慮

沼津兵学校を切り盛りした阿部邦之助（潜）は、旗本阿部遠江守正蔵の子として生まれた。幕府瓦解のとき、慶喜の意を体して恭順派としての立場をとり、静岡にあって後に述べるように、徳川家の名声を復権しようと考えていた節がある。

幕府が安政二（一八五五）年に創設した講武所にいた阿部は、その講武所が軍隊の技術の上達ばかり熱心で、学問が足りないと主張してきた。この考えが沼津兵学校の設立に連動させているのである。

阿部は才覚ある人物であったらしい。江原素六をはじめ多数の意見は兵学校を藩庁所在地の静岡に置くことを主張した。だが、阿部はこれを認めず沼津に持って行ったのは、新政府が駿府藩の謀反動向を危惧し、目を光らせているのを察知して、それを回避するための深謀遠慮であったらしい。しばらくしてから、「沼津学校」と「兵」を省いて呼ぶようになったのも、その辺の事情がからんでいたように思える。しかも、旧幕府陸海軍の残党が軍艦によって帰投するときの地理的位置として、沼津港は都合が良いという考えもあった。またこんなエピソードもある。兵学校の資金が意外にも潤沢であった。それは、江戸城明け渡しの数日前に、阿部が数人の部下を率いて御金蔵に忍び込み、千両箱で一一万両盗み出して撤兵屯所に運び、味噌樽の中に隠匿して、静岡に運んだというのだ。真偽のほどは計り知れないが、世が動乱しているときは、こんな話の一つや二つはあるものだ。

徳川譜代の旗本ご家人たちが、主君の衰滅に心を痛めて、機会あれば一戦も辞さないと息巻いていた。しかし、阿部は冷静沈着な態度で終始した。ところが、沼津兵学校には、当時の最新式の兵器弾薬が沢山貯蔵されていて、城内の一角に建設された兵器庫には、それらの兵器、弾薬が充満していたという。これは、阿部が持ち運んだものだと言われている。

明治三（一八七〇）年、その兵器庫が白昼突然爆発して、灰となってしまった。前にもいった通り、新政府にとって、沼津兵学校は要注意の存在で、薩長当事者からは、猜疑の目が向けられていた。この爆発事故は政府が差し向けた「隠密」の仕業だという噂がたった。それにしても、兵器、弾薬を兵学校に蓄えた、それが恭順派の阿部邦之助の深謀であったとしたら、阿部の意図したものは、一体、何であったのだろうか。「他日崛起すべき機会なきにしもあらず」という思いを心中深く秘めていたのだろうか。沼津を去った以降の阿部の消息がはっきりしないらしい。江原素六が「阿部氏は人物であったが韜晦して居た」と言っていたという。一説によると、その後、芸州に行き広島藩の兵学校の顧問をしていたらしいとある。

水野泡三郎

阿部とともに兵学校の創設にかかわった江原素六の祖先江原家は、徳川家康の治世に叛いたという一件があって、一時零落した。しかし、後に許されたが、「黒鍬之者」という身分に落とされた。黒鍬者というのは、「江戸城内の警備や掃除、荷物の運搬などの仕事をした」人夫という役割だ。

その後、一家は武蔵国豊多摩郡淀橋町字角筈五十人町（現・新宿三丁目）に来て、そこで素六は生まれた。貧乏であったため房楊枝（当時の歯ブラシ）を作る内職をして家計を助けた。学問を重ねた素六は、やがて講武所砲術世話心得になり、抜擢されて砲術教授方に任命され、幕府軍隊の中枢に昇って行った。

そして、鳥羽・伏見の戦いに従軍。撤兵隊の隊長に命じられ、下総方面に転戦して負傷。激戦中に敵兵につかまり、危うく命を落とすところだったが、同僚古川郁郎に助けられた。その古川は、後に沼津兵学校を卒業している。

敗戦につぐ敗戦で、幕軍の戦況利あらずと見ていた素六は、榎本武揚から箱館への同行を求められたとき、国内外の情勢をみれば、もはや国内で私闘をしている時ではないと自分の考えを説明して断った。これを聞いた阿部邦之助は、江原の見識に感服したのであった。だが、錦切（政府軍）は、素六を捕縄しようとして追っていた。このため小野三介と伯父の苗字を語たり、「わが命水の泡のごとし」をもじって水野泡三郎という変名を使って追手を逃れていた。あるときは逃げ果せないと観念して、割腹して果てようと決意して、置き手紙を近藤真琴の留守宅に届けたのであった。これを見た近藤は驚いて、素六の所に駆けつけ、「今は君の死すべきときではない、国家のために忍ぶときだ」と言われて思い留まったという。

背後に錦切の刺殺を意識しつつ、徳川家の駿府移住に従って沼津に父母を迎えた素六は、沼津兵学校の設立に阿部邦之助とともに尽力した。しかし、設立に関する実際の実権は阿部邦之助が握っていたという見方が強い。一方、江原素六は兵学校御用掛に任命されて間もなく、太政官の命で海外視察に出かけたが、彼の意見も採用されているという見方もある。両者の関わりについては、温度差があるようだ。

教授陣寸描

沼津兵学校の学科は、歩兵将校之科、砲兵将校之科、築造将校之科の三科からなっている。そして、学科目は学科によって若干の違いがあるが、英語かフランス語を選択し、究理、天文、地理、歴史大略、書史講論、図画、英学、漢学、蘭学、数学、化学などの基礎学科と操練、戦法、築造、試砲術、軍律、調馬、器械学、水理学などであった。

それらを教える教授陣を以下に紹介する。杉亨二（二等教授・統計学）は静岡学問所のところでふれたし、田辺太一（一等教授方・外交）、乙骨太郎乙（二等教授方・

英学・漢学）、中根淑（三等教授方・漢学）らは、後に登場する田口卯吉、尺振八などの旧幕臣周辺のとき折に触れて紹介する。括弧内は、役職と担当科目。

伴鐵太郎（一等教授方・数学・漢学）・箱館奉行支配の出身。勝海舟と咸臨丸に乗って渡米。帰国後、軍艦頭となり、幕府海軍の中堅として活躍した。

塚本明毅（一等教授方・数学）・幕臣塚本法立の子として江戸に生まれた。昌平黌で漢学を学ぶ。矢田堀鴻、田辺太一とともに「三才子」と呼ばれた。軍艦操練所教授などを務めた。数学史上の名著といわれる『筆算訓蒙』を刊行。西周の後を受けて、沼津兵学校二代目頭取となっている。

大築尚志（一等教授方・英学・蘭学）・幕臣時代は、富士見御宝蔵番格歩兵差図役勤方として正式に幕臣に登用され、五稜郭籠城の大鳥圭介とともに兵学書の翻訳をしたり、横浜でフランス式陸軍の伝習を受けたりしている。昭和二（一九二七）年に総理大臣となった田中義一は、女婿である。

赤松則良（一等教授方・数学・築城）・赤松については、森鷗外の「西周傳」のところで少しふれたが、伴鐵太郎と同じく咸臨丸に乗ってアメリカに渡った。帰国後、上野戦争が始まっており、箱館に脱走しようと思い榎本武揚に会ったところ、榎本は、「我等の志は一朝にして実現できるものではない。君はしばらく留まって後のことを考えよ」と諭されて、自分が持っていた新式銃砲などを榎本に託した。その後、榎本が会長となった静岡育英会に尽力している。「徳川兵学校附属小学校掟書」を起草したのは赤松だった。

渡部温（一等教授並・英学）・幕臣渡部重三郎の子に生まれる。維新時に、柳河春三（洋学者・幕府開成所教授）らと『中外新聞』を発行し、佐幕的論陣を張った。『通俗伊蘇普物語』は、イソップ物語の英訳本を最初に翻訳したものである。

浅井道博（二等教授・数学）・五〇〇〇万石の旗本の生まれ。測量や数学を教えた。幕臣荒井郁之助や田辺太一とは義兄弟である。

揖斐吉之助（三等教授・操練）・江戸に生まれた。幕府陸軍の仕官。鳥羽・伏見の戦いで負傷。その後、政府の命に応じて西南戦争で参謀となっている。

山田昌邦（教授方手伝・数学）・幕臣山田忠五郎の子。幕府海軍の士官として、榎本武揚艦隊に参加して箱館に脱走。乗った船が難破して新政府軍に捕らえられる。この山田（静五郎）を主人公とした、子母澤寛の小説「逃げる旗本」（日本小説文庫・

春陽堂）がある。それによると、山田の乗っていた運搬船の美嘉保丸は、開陽丸のロープに繋がれて航行した。同船者に、伊庭八郎、中根淑（香亭）がいた。ところが、途中で暴風雨にあって、二本のロープは切れて、美嘉保丸は難破し九死に一生得て、銚子にたどり着いたという。この経験から、山田は、強靭なロープ（ケーブル）の制作が日本の近代工業にとって必要だと考えて、沼津兵学校時代の渡部温や赤松則良に相談して、東京製鋼株式会社を創設したのだった（『東京製鋼株式会社七十年史』東京製綱株式会社）。

川上冬崖（絵図方）・幕臣川上仙之助の養嗣子となる。蕃書調所に入所。西洋画法の研究をして、絵図調出役となる。西周とともに兵学校に招かれたが、明治元（一八六八）年一二月に新政府に出仕した。冬崖は謎の自殺をする。その謎追って書いた井出孫六の『アトラス伝』が直木賞を受賞している。

その他、間宮信行（三等教授方・操練打方）、山内勝明（三等教授方・フランス語）、石橋好一（三等教授方・フランス語）、神保長致（三等教授方・数学）などがいる。このような有数の教授陣と斬新なカリキュラムによって、沼津兵学校は日本近代軍事学の端緒を開く最高水準の教育を行った。静岡学問所と同じように短い期間ではあったが、この沼津兵学校からは有為な青年たちが輩出している。

田口卯吉らの資業生

沼津兵学校には、学科課程として、資業生、本業生、得業生と三段階があった。資業生は、教養課程に相当するもので、先に掲げた学科目を学習する。しかし、学校自体が短命であったので、本業生に進級した者は一人もいなかった。

資業生（卒業生）は二一八名いて、その氏名の一部が『幕末西洋文化と沼津兵學校』（米山梅吉）に登載されている。その資業生のなかから主に教育関係と言論関係（新聞人）にかかわった人物を何人かピックアップする。

石橋絢彦・沼津兵学校を終えた石橋は、工部省工学寮に入り土木工学を専攻した。その後、工部大学校を卒業して、主に灯台工事や海上工事を研究した。横浜伊勢佐木通りにあった「カネの橋」（吉田橋）と呼ばれた日本最初の鉄筋コンクリートの改修工事を担当している。その石橋は、工手学校の創立委員の一人となり、明治四三（一九一〇）年には、工手学校校長に就任している。江戸時代史を趣味としていたという石橋は、幕臣の血がそうさせたのか、蝦夷地共和国海軍の主要メンバーであった、甲賀源吾の伝記『回天艦長甲賀源吾傳・附函館戦記』（甲賀源吾傳記刊行會）を書き、沼津兵学校に関する「沼津兵學校沿革」、「沼津兵學校職員傳」（いずれも『同方會誌』）という貴重な資料を残している。

塚原直次郎・幕府の鉄砲組与力の出身。小説家の塚原渋柿園だ。塚原の父が大鳥圭介の脱走軍に従って、下野雀宮の宇都宮藩兵との戦いに敗れてしばらくして駿府に移住した。静岡で修学所を開いて英学、漢学を教えたが、幕臣残党が集まって、武術の鍛錬に熱心であったから、薩長新政府は、塚原の動静が監視されていたという。その後、陸軍病院で英語を勉強。島田三郎の『横浜毎日新聞』に入って論陣を張った。「由井正雪」、「印旛沼」などの歴史小説を書いて人気を博した。

島田三郎・丁髷（ちょんまげ）で学校に通ったのは、石橋絢彦と島田三郎だと伝えられている。その気骨が徳川幕府再興を期して薩長藩閥政府と開戦することを勝海舟に持ちかけて、一喝されて退校。横浜に来て、横浜毎日新聞社を起してその主筆となった。やがて、幕臣の沼間守一らと法律講習所（後の自由民権運動にかかわった嚶鳴社）を設置して活発な言論活動をした。その後政界に転じて「島田シャベ郎」の異名をとった得意の弁舌で、星亭弾劾やシーメンス事件を暴露した。また、木下尚江（小説家・社会運動家）とともに廃娼運動や足尾鉱毒事件を支援するなど、自由主義を基調とした政治活動をした。「余が政界に立って奮闘的生活を送り来れるは、全く沼津時代の思想深く脳裏に浸潤せるに因る」と青春の自己形成にとって沼津兵学校時代の影響が大きかったと島田は言っている。

東洋のルソーといわれた中江兆民（ルソーの民約論を翻訳）が島田を評して、「口弁あり、文筆あり、精力もまた恒人に下らず、而してその名望甚だ揚がらざるは何ぞや」（『一年有半』・岩波文庫）と言っているのが同時代人の評言として面白い。

吹田鯛六・百五十人の神奈川兵の旭隊の隊長格として、上野東叡山寛永寺で彰義隊と力を合わせて戦った。その後、戦況不利のなか、榎本武揚、荒井郁之助らの脱走軍に参加して、箱館に向かう途中、乗っていた船が鹿島灘で座礁して、危うく命を落とすところであった。この幕臣鯛六の長男が、ドイツ文学の吹田順助である。中央大学でドイツ語を教えていた。筆者学生時代に、吹田順助の講義を聴いたことがある。もちろんその時、幕臣吹田鯛六のことなど知る由もなかった。

この吹田先生に『旅人の夜の歌』（講談社）という味わい深い自伝がある。そのなかで、父鯛六を語って、「明治戊辰の役に際しては、父は年十九であったが、百五十人の神奈川兵より成る旭隊の隊長格（奥山八十八郎も隊長）として、上野東叡山寛永寺に立て籠もり、主隊たる天野八郎の彰義隊と力を併せて戦った。旭隊は他の数隊と共に清水門、谷中門の守備に当たったが、遂に戦い破れ、やむなく父は自刃せんとしたが、友人に留められて、思いとどまった」と書いている。痛恨の筆はまだ続くのだが、その後、政府の追っ手が自宅に踏み込んできて、危うく雪隠（便所）の掃除口から脱出して難を逃れたのだった。鯛六は、沼津兵学校で学んだ後に新政府に出仕し、大蔵省、農商務省などに務めた。『ウエークフィールドの牧師』という訳書があるという。

そしてまた、吹田順助の母親かうは、幕末の儒者、漢詩人、乙骨耐軒の末娘、すなわち、これからもしばしば登場する乙骨太郎乙の妹である。

田口卯吉・幕臣として辛酸な生活を強いられた田口の周辺にいた人物は多彩だ。異父姉鐙子が嫁いだ明治女学校創設者の木村熊二。卯吉は木村の家に同居したが、その近所に、卯吉伝記には欠かせない、結婚の媒酌をした乙骨太郎乙が住んでいた。乙骨は静岡学問所や沼津兵学校の教授であった。

この乙骨家の家系を中心に書いた永井菊枝の『小伝　乙骨家の歴史―江戸から明治

へ』（フィリア）という本がある。乙骨家の祖先は、武田氏に仕えていたが、武田氏滅亡後に徳川家康に認められて幕臣となり、八王子に乙骨家の屋敷を賜って乙骨氏の祖となった。吹田鯛六の妻が太郎乙の妹であることはすでにふれた。詳しいことは省くが、乙骨太郎乙の妻継は、『解体新書』の蘭方医杉田玄白の曾孫で、継の姉縫は、後に登場するが、新島襄とともに仙台に創立した東華学校の富田鐵之助（仙台藩士）に嫁いでいる。太郎乙にとっては義兄になるわけだ。また、太郎乙は、田口卯吉の家に書生として住んだ明治の詩人、訳詩集『海潮音』の上田敏の叔父にもあたる。晩年の乙骨は、旧幕臣たちと「昔社」という仲間をつくり漢詩に親しんだという。

　卯吉はこの太郎乙の沼津の家から兵学校附属小学校に通った。星亨を暗殺した伊庭想太郎とは同窓で、伊庭が獄死するまで親交があった。静岡学問所で教えていた外山正一は、卯吉の父親と親しく、卯吉も会っている。木村熊二や伊庭想太郎は後に述べるが、やはりあとで登場する尺振八にも横浜で会っている。少年時代、横浜の路上でゴザを敷いて古本を売っていた明治のエコノミスト田口は、森鷗外から官学圏外の経済学者として高い評価を得た。『東京經濟雜誌』を主催し、『日本開化小史』を刊行して、体系的文明史を完成させた。

沼津兵学校は、これらの秀でた人材を育成したが、結局、静岡学問所と同じように廃藩置県、学制発布により、組織全体が新政府に吸収され、明治四（一八七一）年に兵部省に移管、翌明治五（一八七二）年に閉校して、陸軍士官学校の母体となった。

代戯館と集成舎

すでに述べたように、静岡に移住した旧幕臣たちは、新政府の監視の目のある中で困窮の生活を送ったが、その子弟たちの教育には力を入れた静岡学問所や沼津兵学校は、旧幕臣・静岡藩士にとっては、誇るべき存在であった。

樋口雄彦は、静岡学問所と沼津兵学校にふれつつ「旧幕臣・静岡藩士たちがたどった江戸―静岡（沼津）―東京という軌跡は、単に生活の場の変化を示しているだけでなく、教育による自己確立でもある」といい、「廃藩後教育に携わる道を選んだ者にとって、かつて自分が学問・教育の先進地である静岡や沼津で教え学んだという事実は、国家レベルでの学校制度の整備が始まったばかりの当時において、提出先である雇用主や官庁に対してても自信をもってアッピールできる履歴となったようだ」と論評している（「東京府の私塾・私学にみる静岡藩出身者の教育活動」『静岡県近代史研究』）。
さきに、安政五（一八五八）年に設立された明新館のことを述べたが、明治元（一八六八）年に、代戯館という学校が沼津添地町につくられた。長屋の一棟を教室に流用、戸板に墨を塗って黒板の代用にして、ゴザを敷いて授業を行った。そこで素読、手習、洋算などを教えた。教員には亀里樗翁（素読教授並）、石川東崖（素読教授並）などがいた。無禄移住で農事開墾も思うようにいかない生活のなかで、学校を作り「洋算」までを教えた教育に対する情熱は瞠目すべきものがある。この代戯館は、沼津兵学校附属小学校に引き継がれ、日本最初の小学校となった。

明治五（一八七二）年、学制が定められてこの小学校は、集成舎という学校になった。この集成舎の初代校長となった江原素六は、彼の教育的理想をこの学校に盛り込んだのであった。素六は、沼津を学問の地として残すことに情熱を傾けたのである。沼津兵学校の教育手法を踏襲し、特別な教科書を編集して授業を行った。教科書を中心とした近代初等中等教育が行われたのである。教員の人材も豊富だった。名和謙次は漢文や修身を教え、江原素六の後に沼津中学校の校長に就任している。

尾江川知三は外人教師の招聘に尽力した。イギリス人のキーリングという外人教師が来ている。また、明治一四（一八八一）年には、西村茂樹が創設した東京修身学社（後の日本弘道会）の支部組織第一号である沼津修身学社を設立している。

江原素六というと麻布中学校が思い浮かぶ。素六が麻布中学校を創立したのは、明治二八（一八九五）年。沼津兵学校や集成舎での教育理念を引き継いだ、江原の学校教育の集大成が麻布中学校に凝縮されたと言っていい。

麻布中学校の卒業生に作家の広津和郎がいる。広津は、社会評論家茅原華山が大正五（一九一六）年に創刊した旬刊雑誌『洪水以後』に文芸評論を書いたことによって、文壇にデヴューした。戦後の活動としては、雑誌『中央公論』に連載した、東北本線松川駅付近で起きた列車転覆事件の共同謀議説を批判して、無罪を勝ち取った松川裁判批判で知られている。

その広津が麻布中学時代を回想して、「私は麻布中学に通っていた頃は、学校を楽しいと思ったことはなかったが、当時の他の中学に学んだ人達の話を聞いて見ると、麻布中学がズバ抜けて自由な中学であったということが思われて来る。それは創始者である江原素六校長や、それを助けて経理面を受持っていた村松幹事の稀に見る寛大さが、そういう空気を作っていたからであろう。」（「江原素六先生のことども」『年月のあしおと』講談社）と言っている。

江原素六は教育者であったと同時に、敬虔なクリスチャンでもあった。初等中等教育の現場では「寛大」というのは、最も難しい問題のひとつであったろうと思われる。「素六の寛大」は、九死に一生を得て生き延びた戊辰戦争の体験や、何度も死線をさまよう喀血から、キリスト教への道を歩んだ素六の多難な人生から生まれた結晶のようなものと思われるのだ。

現在、沼津市に「沼津市明治史料館」があり、沼津兵学校の歴史や江原素六の事跡が展示されている。また、城岡神社境内には、明治二七（一八七二）年に旧幕臣たちによって建てられた中根淑撰文の「富嶽之陽狩水之上有名區曰沼津」で始まる「沼津兵学校記念碑」がある。そして、昭和一五（一九四〇）年に沼津兵学校創立七〇周年を記念して造られた、「沼津兵学校址」の碑もある。

なお、沼津兵学校をトータルに論じた著書に、樋口雄彦の『旧幕臣の明治維新―沼津兵学校とその群像』（吉川弘文館）と『沼津兵学校の研究』（吉川弘文館）がある。

第三章　商法講習所と工手学校

「商」と「工」不遇の時代

近代学校制度を定めた森有礼が、これからの日本の社会には「商」が重要だと考えて、その商業人を育成する教育機関を設立しようと文部省に掛け合ったが断られ、明治八（一八七五）年に私塾として銀座尾張町で開校したのが、商法講習所である。商家の者が学問をやって何になる、商人には学問はいらない、算盤をはじいていればよい、という風潮が根強くあったからだ。現在、銀座の「ＧＩＮＺＡ ＳＩＸ」（旧松坂屋デパート）の前に商法講習所発祥の地の記念碑が建てられている。

一方、明治期工業社会の裾野を支える技術者「工手」を養成しようと、初代帝国大学総長を務めたことがある渡邊洪基が、文部省にその養成機関の設置を要請したところ、「此輩を養成する経費なし」と断られ、工手学校は、私立学校としてスタートとした。手にカナヅチをもって働くことがさげすまれる風潮があった時代だ。

商法講習所の「商」の教育もそうだが、工手学校の「工」の教育の場合も文部省に門前払いを食わされたのは、封建社会の士農工商という官僚の差別意識が出た感じだ。もっともこの士農工商という身分制度は、社会的な序列として刻印の如く存在したわけではないという説もある。

築地南小田原町に誕生した工手学校の場合は（そこに発祥の地碑がある）、三菱の岩崎弥之助が破格の寄付したのをはじめ、民間会社の工業立国の熱意で寄付も集まった。ところが、商法講習所の場合は、資金の捻出も思うように行かず、渋沢栄一、勝海舟などの有志の寄付はあったが十分ではなく、七分金積立を流用したのだった。七分金積立というのは、松平定信が発案した積立金制度。江戸の地主が負担する町人用（町費）を倹約し、その七割を町会所に積み立て、救貧基金として利殖運用したものだ。明治維新後は、新政府の東京市運営の財源として利用されている。

この講習所の財源難は尾を引いて、東京府が管理することになったとき、東京府会は予算の半減を決議して、渋沢栄一が有志を集って経費を補填している。ところが今度は、その東京府会が、講習所への経費支出を拒んで廃止を決議したのであった。またまた、渋沢が手を貸して、農商務省の補助を得て存続することになった。

そんな折、工手学校が火災にあって廃校論がささやかれたとき、皇室から五〇〇円が下賜されて再建されたが、商法講習所の財政難のときも、皇室から五〇〇円が下賜されている。皇室が示した民間教育への理解は注目すべきものがあった。

工業立国、殖産興業を叫ぶ明治ニッポンではあったが、明治新政府がとった「商」

と「工」は施策は不毛であった。福沢諭吉が「尚武」という言葉に抗して「尚商」

という造語を使って商法講習所を支援したが、それは蟷螂の斧の如くであった。

商法講習所の「設立趣意書」

その商法講習所の設立には、旧幕臣たちが関与している。森有礼は、薩摩藩だが、彼の思想は超党派的なところがあり、そこに、旧幕臣の成瀬隆蔵（沼津兵学校・慶応義塾）、渋沢栄一、福沢諭吉、福地源一郎（佐幕の論陣を張った新聞記者）、益田孝（三井財閥を興した実業家）などが支援した。とくに、商業教育のW・C・ホイットニーの招聘には富田鐵之助の裏方的存在が与かって力があったという。

福沢が筆をとった「商法講習所設立趣意書」（『商法講習所』都史紀要八・東京都）がある。「商売を以て戦ふ時代には商法を研究せざれば外国人に敵対すべからず。いやしくも商人として内外の別を知り、全国の商戦に眼をつくるものは勉むる所なかるべからず」と商法講習所の必要を説いた。ただ、商業教育に対する一般の関心は低く、生徒の募集には苦労したらしい。

ホイットニーによる洋式簿記を導入した商法講習所については、田中昭徳の「森有礼とわが国近代商業教育の創成」(『商学討究』・小樽商科大学) が詳論している。

その商法講習所の初代校長には、幕府の外国方翻訳官などを務めた矢野二郎(次郎)が就任した。はじめ矢野は「任にあらず」と辞退したが、旧幕臣の大御所、勝海舟や大久保一翁の説得があって引き受けたという。大久保一翁は、廃藩置県後に静岡県知事になり東京府知事を務めた。幕臣として勝海舟と幕政を運営し、議会制を主張した先覚者として知られ、無役の勝海舟を世に出した男といわれている。

旧幕臣富永惣五郎の次男(矢野家に養嗣子)として江戸駒込に生まれた矢野二郎については、島田三郎編の『矢野二郎傳』(矢野二郎翁伝記編纂会)があるが、山口昌男の「よく人の為さざるを為す　矢野二郎」(『知の自由人たち』NHKライブラリー)が、矢野を伝えて余すところがない。そこ引用されている、大隈重信の矢野二郎評が適評なので孫引きする。「矢野君の境遇が維新の大変化に対して何れの方であるかといふと、失敗者である。不遇者である。境遇から推して彼の人の心理を忖度してみると、多少不平か苦悶があつたに相違ない。それが何処へ向かつて鬱勃たる精力を用いたか、その気力を動かしたといふと、商業教育というのに激発したのである」。

この商法講習所の卒業生に実業家の岩下清周がいる。矢野二郎の家に泊まり込んで勉強した。後に岩下は、原敬や渡邊洪基が頭取となった北浜銀行を創設している。カトリック神父でハンセン病者の友といわれた岩下壮一は、清周の長男。カトリックの宣教、司牧に専心した岩下壮一の伝記には、『人間の分際―神父・岩下壮一』(小坂井澄・聖母文庫)がある。また、俳人の岡野知十も一時ここに学んだという。

その商法講習所は、東京会議所、農商務省、文部省と所轄を変遷し、現在の一橋大学となった。一橋大学のマーキュリーの校章は、成瀬隆蔵の創案だという。

幕臣シンパ

さて、官許が得られず明治二〇(一八八七)年一〇月に創立された、日本最初の工科系技術者養成学校の開校式に列席した旧幕臣の大鳥圭介が「工手学校を設立せられたる校友諸君は多くは余が工部大学校に在りし頃よりの知己なり」と述べ、「故に工手学校は余の宿志」だとその設立に期待した。このように工手学校は、その創立を発起した渡邊洪基を始め、渋沢栄一など旧幕臣たちの強力な支援があったように思われる。そこで、渡邉洪基を中心とした工手学校と旧幕臣の背景を一瞥する。

渡邊洪基は、福井藩の蘭方医で、種痘の先駆的役割を果たした父静庵の息子。幕臣ではない。しかし、父静庵の一字を継いだ「静壽」は、戊辰戦争の時には、幕府側に付いいた。それは、医学修業の師が幕府医官の松本良順であり、洪基は、「良順に従って、会津でも地獄へでも行く」といって良順に傾倒し、戊辰戦争の時は会津救援隊の負傷者治療医師団に、成田山参りの一行に変装して参加した。その後、彰義隊の残党であった岸田吟香（画家岸田劉生の父で、新聞記者）、松浦武四郎（蝦夷を北海道と命名した探検家）、富岡鉄齋（日本画家）らとともに政府軍と抗戦している。

松本良順を主人公の一人として描いた、司馬遼太郎の小説「胡蝶の夢」に登場する渡邊洪基は、「幕臣でもなく、薩長ぎらいでもなかった」が、「国家が改造するのにペテンのようなやりかたをするのは、後世の風教にかかわる」というくらいの時世への批判はもっていたという人物として登場する。ペテンのような国政を司るのは浅黄裏の藩閥政治であることは言うまでもない。ついでにいえば、等身大の松本良順を描いたとされる「司馬史観への返歌」（解説・末國善己）だとする吉村昭の『暁の旅人』（講談社文庫）では、庄内に向かう良順と別れて、米沢藩に滞留した渡邊洪基の姿が描かれている。

渡邊の閲歴を見ると、徳富蘇峰から非難されたように、伊藤博文の意を体して帝大の総長になったのは、国家行政の担い手となる高級官僚の養成を進めることであったろうし、政治家としても国権的性格が強い国民協会に所属し、立憲政友会に参加している。また彼の要職といえば、元老院議官、工部少輔、東京府知事、帝国大学総長、文官試験局長官等々すべて官位にいる。

そして、明治一三（一八八〇）年に公布された、民権運動の弾圧に法的根拠を与えた「集会条例」は、渡邊の起草によるものだったという。これを見れば、渡邊は、薩長覇権の政治体制を支える明治国家のプランナーともいうべき活躍をしている。

一方、官位に就いた渡邉を天皇制国家に対する「逆賊」と見做す向きもないではない。戊辰戦争に旧幕軍の一兵卒として参戦した渡邉の戦歴は、箱館五稜郭籠城組ほどの武勇はないにしても、その立ち位置は同断に見られる。その渡邉が、国家唯一の最高教育機関である帝国大学総長に就任するというのは、薩長覇権の側から見れば穏やかな事態ではない筈だ。そうでなくても、教学歴のない渡邉の総長就任に対して「前東京府知事という妙な経歴を持つ官僚で、大学人から違和感を持って受け止められた」（立花隆『天皇と東大』上・文藝春秋）という風評の中に渡邊はいた。この渡邊が帝国大学総長就任に対する経緯については、瀧井一博の「帝国大学初代総長」（『渡邊洪基—衆智を集むるを第一とす』ミネルバ書房）に詳しく論じられている。

それはそれとして、渡辺が発起した初期工業技術者養成の工手学校の設立には、後に見るように旧幕臣の面々がいる。しかも、工手学校の開校式典に出席した来賓には、戊辰の役で苦渋を舐めた「逆賊」と目される旧幕臣が列席している。例えば、大鳥圭介、榎本武揚、田口卯吉、渋沢栄一などだ。

幕臣ということから余談を挟めば、『武蔵野』の名作がある国木田独歩は、平岡敏夫の『佐幕派の文学—「漱石の気骨」から詩篇まで』（おうふう）によると佐幕派の一人だ。その独歩に「非凡なる凡人」という短編がある。そこに登場する主人公桂正作が工手学校に学んでいる。夜学の工手学校で刻苦勉励する桂を「佐幕派同様の没落士族の子弟の明治に生きる感動的な姿を」描いていると言っている。

ところで、工手学校の創立委員は、一四人いる。その中には幕臣の系列につながる人材がいる。初代の校長の中村貞吉は、福沢諭吉の長女と結婚している。石橋絢彦は幕臣で沼津兵学校の出身。眞野肇、文二父子も沼津兵学校。中澤岩太は渡邊と同郷。三好晋六郎は幕臣。栗本廉は彰義隊に参加しようとしたが病を得て断念した幕臣。工手学校設立の際に渡邊が相談して、その財務を担当した辰野金吾の出身地の唐津藩、工手学校第二代管理庁に就任した、工手学校中興の祖と目される古市公威の姫路藩などは、藩主が新政府から朝敵と見なされている。このように工手学校創設の発起人である渡邊洪基の周辺には、旧幕臣や幕臣シンパが集まって、初期工業技術者の養成に意を注いだのであった。

萬年会と興亜会

渡邊がかかわった萬年会と興亜会という組織がある。この二つの会については、黒木彬文の優れた論考がある。「自由民権運動と万年会の成立—非藩閥政府官僚・渡邊洪基の殖産興業活動」(『政治研究』第三四号・一九八七)と「興亜会・亜細亜協会の活動と思想」(『興亜会報告・亜細亜協会報告』解説・不二出版・一九九三)である。後者については、興亜会のメンバーが「戊辰戦争で敗軍、旧幕臣に属し、明治新政府の反主流派、非主流の役人や自由民権論者であった」ということから、渡邊の反藩閥姿勢の論証とした。その後に、前者の論考のあることを知り、渡邊の政治姿勢が薩長政権に対抗したものであったことが再確認された。しかも、渡邊は後に述べるように「幕府遺臣の罪を宥恕する」ように訴えていたのだ。

この萬年会について黒木論文に依拠しながら見ていくことにする。萬年会は、渡邊洪基が明治一一（一八七八）年四月に設立した、日本各地の農工商業の振興の必要性を唱えてつくられたもので、要するに、地方産業の重視を訴えたものである。政府の事業は、学問、工業、新聞と同じく欧米直輸入のために、日本の「時運」、「地理」、「人情」にあわず、その目的を達成しないばかりか、有害でさえあるというのだ。そこで、殖産興業の実を上げるためには、全国各地に農工商業の組織をつくらねばならないと呼びかけた。渡邊が藩閥政治に批判的であったことは、やはりこの萬年会の成立事情も反藩閥意識が胸中にあり、「政府の東京中心主義、欧米直輸入的殖産興業政策を批判し、漸進的民権論に一定の共感を寄せていたと思われる」と黒木論文はいっている。これは、先にものべた沼津にやって来た外人教師クラークが教育機関の東京中心主義を批判したものとも通じるものがある。

渡邊の呼びかけに萬年会に集まって来たメンバーは、黒木論文によると、みな「非藩閥系出身者」である。主な人物を挙げると、由利公正（「由利財政」といわれた政治家）、津田仙（旧幕臣、学農社農学校）、花房義質（外務省大書記官）、大鳥圭介（旧幕臣、工部省大書記官）、石黒忠悳（幕府医学所のときの渡邊の同僚）といった面々で、これらの人物は、「藩閥政府を批判し、藩閥政治を規制するのに有効な範囲で漸進的民権論に理解を示す人々が多い」（黒木）と言うことだ。

渡邊が興亜会や萬年会や工手学校を設立しようとした心根は、旧幕臣的心情、平たくいえば、「民」の立場に立っていたと言えるだろう。もうひとつ、渡邊が関与した学校がある。工手学校の賛助員でもあった大倉喜八郎が、明治三一（一八九八）年に創設した大倉商業学校だ。一代で財を成した大倉は、私財を投じて商業学校を設立した。これに賛同して趣意書を連名で公表したのが、渡邊洪基、渋沢栄一、石黒忠悳であった。現在の東京経済大学である。

ついでに、旧幕臣の教育ネットワーク周辺の工業教育機関の例をひとつ紹介しておこう。福沢諭吉の弟子だと自任する、井上角五郎の国民工業学院だ。昭和五（一九三〇）年に開校した通信教育と実地指導によって工場従業者を教育する、修業年限一年半の学校。学科は、機械科、電気科，工業化学科、冶金科、土木科、採鉱科、建築科が置いてある。この学校の協賛者には、福沢人脈の福沢桃介、馬越恭平、鎌田栄吉などがおり、工学系という人材が重複する事情はあったろうが、工手学校に関係した、高松豊吉、曽禰達蔵、古市公威、浅野応輔、斯波忠三郎らが顧問に選任され、真野文二が初代総長に就任している（井上園子『井上角五郎は　諭吉の弟子にて候』文芸社）。

井上角五郎は、福沢諭吉邸に家庭教師として住み込み、慶応義塾を卒業。韓国にわたって、当時の朝鮮政府の政府顧問になる。その後、後藤象二郎の知遇を得て、政治活動に手を染める。また、北海道炭礦鉄道の取締役に就任して、実業界でも活躍した。なお、『井上角五郎先生傳』（国民工業学院）がある。

幕府遺臣の免罪を訴える

明治二一（一八八八）年二月六日に行われた工手学校の開校式には、大鳥圭介、田口卯吉、赤松則良らの幕臣が出席している。そして、築地校舎に移転したお披露目の式典に榎本武揚が渋沢栄一とともに出席した。

その榎本武揚は、幕府海軍総裁の矢田堀景蔵が自重を説いたのに耳を貸さず決起したが敗残。その箱館戦争の罪状を免ぜられて、明治政府の高官となった。福沢諭吉がこれを非議して、「忠臣は二君に仕えず」(「痩せ我慢の説」)といったのは有名な話だ。死一等を減ずるために頭を剃って請願したのは、黒田清隆であった。福沢諭吉も助命の願を出している。これからの日本を発展させるためには、なくてはならい人材と榎本の才能を高く評価したからだった。佐々木譲は、榎本の「プログマティズムとは、すなわち技術者的合理性であった。技術者である武揚にとって、日本の近代化が徳川家への忠誠よりも優先される課題であった」(『幕臣たちと技術者立国』集英社新書)と言っているのが榎本の立場を語っている。

渡邊洪基も幕臣の断罪を否定している。明治二五(一八九二)年に刊行された『在野名士鑑』(山田倬・武部竹雨編　竹香館)は、明治前期の人物事典のようなものだが、そこに「渡邊洪基君　代議士」という項目がある。米沢藩に英学校を設立したことなどが書かれていて、そのなかに「明治二年一月東京に還り郡縣、殖産、外交の三事に就き之を待詔局に建白し併せて幕府遺臣の罪をして宥恕せられんことを勧告す」とある。待詔局というのは、明治二(一八六九)年に出来た、明治政府が建白書を受理する機関だ。渡邊はそこに「幕府遺臣の宥恕」を訴えた。「宥恕」とは寛大な心でゆるすことである。

この渡邊の幕臣免罪の勧告をしたという事実によって、興亜会や萬年会そして工手学校にかかわった、渡邊と行をともにした幕臣人脈の連帯感が分かるような気がするのである。渡邊は「非藩閥政府高官」であったのだ。それは司馬遼太郎が渡邊を「薩長ぎらいではない」と言った、消極的なものではなかったとも言えると思う。とくに、渡邊と榎本とは形影相伴うように様々な場面に出てくる。工手学校の記念式典に出席したこともそうだが、日本の工業技術を推進したお雇い外国人ヘンリー・ダイヤーの発起により発足した「工學會」の副会長には渡邊、榎本が就任し、先に述べた興亜会も榎本が会長で、渡邊が副会長だった。また、明治一二(一八七九)年に創設された東京地学協会は、ウイーン地理学協会会員だった渡邊洪基や榎本武揚が中心となって立ち上げたものだった。初代社長には、北白川宮能久親王が就任している。社長に皇族を迎えたことなどで、「貴顕学会」と揶揄されたらしい。

ちなみに、当時の地学は、今日の地質学的学問ではなく、物理、生物、化学、経済、人文地理、地政学という広範囲の学問領域で、後に述べる学校でも「地理」とか「地理書」と出てくるのは、以上のような勉強をしているのだ。慶應義塾の学科目は、「地理」と「地質学」と分けて設けられている。

要するに、渡邊が榎本のテクノクラートとしての才能を重視したこともあり、そしてまた、戊辰戦争の同志であったこともあるだろうが、渡邊が「幕府遺臣の罪を宥恕」してくれと明治政府へ勧告したことが、両者のおおきな絆になっていることは間違いないだろう。なお、渡邊洪基の生涯を述べたものには、渡辺進『夢　渡辺洪基伝』(私家版)、文殊谷康之『渡邊洪基伝』(幻冬舎ルネッサンス)、瀧井一博『渡邊洪基――衆智を集むるを第一とす』(ミネルバ書房)などがある。

渋沢栄一の記録から

武州血洗島の一農民の出である渋沢栄一は、徳川御三卿一橋家の家臣となった、いわゆる幕臣である。渋沢の実業家としての経歴は、ここに述べるまでもなく周知のことだ。この渋沢も学校教育には熱心であった。教育こそが「国光を発揮し国威を宣揚する原動力である」(『青淵百話』同文館)という信念を渋沢は持っていた。渋沢が関与した学校は、商業学校を始め多数ある。次に渋沢の伝記資料『渋沢栄一伝記資料』（第四四巻・渋沢栄一伝記資料刊行会）から工手学校との関係を摘出して工手学校の歴史を概観しておく（括弧内は筆者注）。

明治二〇（一八八七）年十月

帝国大学総長渡邊洪基等、工手養成ヲ目的トスル一学校創設の意アリ。乃チ同月三十一日当校設立趣意書ヲ発表シ、汎ク同志ヲ勧誘スル所アリシガ、栄一亦此擧ニ賛シ、之ガ為メニ賛助員トナリ、且当校設立基金トシテ金二円ヲ寄付セリ、斯クテ是年二月、仮校舎ニ於テ、開校セシガ、其後校舎ノ購入並ビニ増築ノ事成リ是日新校舎ニ移転、開校式挙行セラルルニ当リ、栄一来賓トシテ之ニ臨ミ一場ノ祝詞ヲ述ブ（この一〇月三一日が創立記念日となった）。

明治二九（一八九六）年二月

是月九日、当校火災ニ遭ヒ校舎其他一切ノ備品悉ク焼失ス。茲ニ於テ十三日直チニ臨時管理委員会ニ於テ校舎ノ再築並ニ寄付金募集ノ事ヲ決議シ、汎ク関係諸方面ノ援助ヲ乞フ。栄一之ニ応ジテ金一百円ヲ寄付シ、且石川島造船所取締役会長トシテ金三百円ヲ寄付セリ（この罹災のとき、皇室から五百円が下賜された）。

大正二（一九一三）年一一月二三日
　是日芝公園ニ於テ、当校創立二十五年記念祝典挙行セラル。栄一之ニ望ミ、祝辞ヲ述ブ（この式典は明治天皇崩御のため一年延期して開催された）。
大正一四（一九二五）年五月十二日
　是ヨリ先当校、大正十二年九月一日ノ関東大震災ニ罹災ス。仍ツテ当校校友及ビ出身者等ハ工手学校復興会ヲ組織ス。是日栄一、同会顧問ヲ受託ス（復興会の会長に古市公威が就任した）。
昭和四（一九二九）年七月十四日
　是日、当校第八十回卒業式挙行セラル。栄一之ニ臨ミ、生徒ニ対シ訓話ヲナス。
昭和五年七月一一日
　是ヨリ先、昭和三年六月当校校舎竣工シ、同年八月一当校ノ組織ヲ変更シ、校名ヲ工学院ト改称ス。翌四年八月一日工手学校復興会ハ常務理事ヲ工学院管理長へ委任ス。是日工学院理事長真野文二、管理規定第二十一条ニ依リ、栄一ヲ同校顧問ニ推薦ス（卒業生の強い要望により、「工手」という低位の職制を冠する校名を嫌って、「工学院」と改称された。これが現在の工学院大学である）。

第四章　榎本武揚の育英黌農学科

農業拓殖

榎本武揚は、戊辰戦争のときには戦略家として敵を困らせたが、また一方では優れた政治家であり、有能な技術者でもあった。榎本は、工手学校の校舎お披露目の式典に、渋沢栄一とともに列席したように、工業技術者の育成に強い関心を持っていた。榎本は戦略武将であったとともに優れたテクノクラートであった。

榎本は、天保七（一八三六）年、江戸下谷御徒町に生まれた。通称釜次郎。号を梁川と言った。少年時代は、学問が好きで、榎本の住んでいた三味線堀の近くに田辺石庵の居宅があって、そこで儒学を修めた。この石庵塾は、のちに登場する英学者の尺振八も通っている。

武揚の父、榎本円兵衛武則は、日本地図の元祖伊能忠敬の弟子で、有能な技術者だった。その血筋を武揚は引いている。武揚の技術工学領域は、機械工学、地質学、気象学、化学、造船学、植物学などにわたり、国際法規にも明るかった。三百年の鎖国政策によって、黎明期の日本は国際社会のルールに疎かった。だから、この国際法は必須条件であった。そういう意味からも、榎本は日本が最も必要とした西欧文明に通じていた「人材」であったために、新政府に重用されたのであった。

箱館五稜郭に立て籠もり、新政府軍に飽くまでも抗戦した榎本は、本来なら死罪である。しかし、五稜郭攻撃の成果を挙げた黒田清隆が、榎木の才能を高く評価して、その才能が失われることは、日本の損失であると痛感し、剃髪して助命を政府に懇願したことは先にふれた。それほどに彼の持っている学識は重要視された、と同時に、明治新政府にはそれだけ人材が少なかったのである。それは先の静岡学問所や沼津兵学校が四年足らずで廃校とされ、その人材を新政府が呼び戻したことなどからも推察される。

榎本の科学者としての存在を証明する二つの事柄をあげれば、明治二一（一八八八）年に、電気学術の調査、研究を目的として設置された電気学会の初代会長に就任した。また、オランダで化学を学び、長崎海軍伝習所時代にも舎密学（化学）を好んで学んだという榎本は、明治三一（一八九八）年に創設された工業化学会の初代会長にも就任している。

榎本武揚が抱いていた事業計画はいろいろあった。その一つに農業拓殖というテーマがあった。彼は北海道時代に、石狩平野を農業開拓の地と考えていたのである。

榎本が創設した農学科の組織については後に述べるが、東京農業学校時代の卒業式の告示で、榎本は農業の重要さを次のように語っている。

「我農民特有の能力に加ふるに、学術と実験を以て、農業に属する各般の改良を図らば、其の国家の富源を増進すべきこと、決して疑を容るべからず」と強調し、続いて、「東隣の「ラテン・アメリカ」各邦及び南洋諸島方面には、莫大なる膏腴の地、天然の侭にて未だ手を下す者なきに於てをや、然らば、則ち農業は前途極めて望あるの事業と謂ふべし」と言ったように、やや植民地的構想が窺える彼の農業振興は、国際的視野に立っていた。膏腴というのは、土地が肥えているという意味だ。

徳川育英会が母体

育英黌農学科は、明治二四（一八九一）年三月六日、東京市麹町区飯田河岸一〇番（現・千代田区飯田町二丁目二〇番地）に、徳川育英会によって創設された。現在、総武線飯田橋駅東口、飯田橋散歩道と呼ばれているところに、「東京農業大学開校の地」という記念碑が建っている。その徳川育英会は、明治一八（一八八五）年七月に設立され、旧幕臣である静岡県出身者に学費を貸与して、英才教育を目的とした団体であった。大正一一（一九二二）年に静岡育英会と改称されている。その会長が榎本武揚で、幹事長が伊庭想太郎であった。伊庭については後に述べる。

徳川育英会は、その後、育英黌を設立して静岡県人の教育にあたることになり、育英黌農学科は、海軍予備科、商業科，農業科、普通科の四学科を設けてスタートした。設立趣意は実学重視の私立学校である。世間では、官学を重んじる風潮があるが、多くの青年たちは、即戦力となる業務に就くことを望んでいる。だが、これを受け入れる学校が少ない。農学科は実際応用の学術を教授し、卒業したら直ちに実業社会に進出し、なおかつ将来の志を遂げるための有益な知識を授けることを目的とした。これは、工業実地に役立つ人材を育成する工手学校の設立趣意と全く同じだ。明治初期の私学教育は、農業に限らず、工業、商業、そして英学ですら実用を重んじた。発展途上国の明治ニッポンの取るべき教育方針は、実学であった。

ところで、育英黌に設置された四学科のうち、農業科以外の学科は、官立学校の整備が進んで不振となり、学校運営の主力は農業科に注がれた。黌主に榎本武揚、黌長に永持明徳（五郎次）、教頭に真野肇が就任した。

黌長の永持明徳は、旧幕臣で、幕末きっての砲術家であった。長崎で蘭学を修め、フランス語の勉強もした。鳥羽伏見の戦いでは歩行不可能な深傷を負った。榎本とは戊辰戦争の戦友だ。その後、沼津兵学校の三等教授となった。フランス語と砲術を教えた。

教頭の真野肇は、旧幕臣。沼津兵学校に学び（第二期資業生）、後に海軍兵学校で数学の教授となり、工手学校の教壇にも立っている。その長男の真野文二は沼津兵学校附属小学校を卒業。文二も工手学校で教鞭を執り、第五代の管理長（理事長）に就任している。育英黌には、沼津兵学校関係者では、永持明徳や真野肇の他に、中根淑（香亭）がおり、沼津小学校出身で育英黌創立以来の功労者である渡瀬寅次郎がいる。

中根淑（香亭）は、天保一〇（一八三九）年、江戸に生まれた。沼津兵学校三等教授。沼津時代には、田口卯吉に漢学を教えた漢文学者だ。戊辰戦争の時、榎本武揚に従って箱館に向かうが、山田昌邦、伊庭八郎らとともに乗船していた美嘉保丸が銚子沖で座礁。海岸に打ち上げられて九死に一生を得た。その後、官軍の探索を逃れてやっと駿河に辿り着いたという経歴の持ち主。

中根はその後、雑誌『都の花』を明治二一（一八八八）年一〇月に創刊して、明治文壇史の一角に登場する。発行兼編輯人は中根淑、印刷人は明治文壇で言文一致の新進作家として名声を博した山田武太郎（美妙）。この純文芸雑誌は、樋口一葉などの作品を載せ、明治二〇年代を代表する新進作家を送って、新文壇を形成した。中根は七五歳をもって長逝したが、遺体を松林のなかで荼毘に付し、残灰を海中に棄てさせたという逸話を残している。中根の反藩閥の気骨については既に触れた。

渡瀬寅次郎は、江戸の生まれ。駿河、沼津と一家に従って移住し、代戯館を経て沼津小学校に入学。語学を学ぶために札幌農学校に入学した。この札幌農学校時代に、クラークの訓導によりキリスト教に入信している。卒業してわが国最初の農学士となり、北海道開拓事業に携わる。北海道時代の渡瀬を榎本は評価して農学科に招いたといわれている。後、東洋英和学校で教鞭をとり、明治一八（一八八五）年に創立した東京中学院（現・関東学院）の院長に就任。キリスト教精神による教育に情熱を傾けた。渡瀬はキリスト教伝道に熱心で、馬にまたがって山間僻地を伝道したという（『日本キリスト教歴史大辞典』・教文館）。また、静岡県田方郡の渡瀬が所有していた農場に、渡瀬の遺言により、内村鑑三、新渡戸稲造らがデンマークの国民高等学校に範を取った「興農学園」を創立している。なお、渡瀬昌勝編の「渡瀬寅次郎傳」が「一般財団法人興農学園」のブログで公開されている。

沼津兵学校ネットワーク

育英黌農学科の沿革については、現在の東京農業大学が刊行した『東京農業大学七十年史』を参考にしているが、このなかに、同校と静岡藩沼津兵学校と西周の私塾育英舎とのつながりについて「ここに一考を要するのは、同黌と静岡藩沼津兵学校、ならびに西周の私塾育英舎との関係であって、前後諸方面の史実を総合してみると、その間に一つのつながりがあるのを知ることができる」と注記をしている。いわゆる沼津兵学校ネットワークだ。

この学校の開校広告が、陸羯南が主宰する新聞『日本』に掲載されている。『東京電報』の改題紙『日本』は、明治二二（一八八九）年二月一一日に創刊。羯南の筆鋒鋭い論説が売り物で、その政府批判はしばしば発行停止処分に遭った。また、同紙は正岡子規の短歌革新を唱える「歌よみに与ふる書」が掲載されたことで知られている。子規の隣家にいた羯南は、その病床を見舞い、父親のような親交があった。

その陸羯南は津軽藩の出身。東奥義塾に学ぶ。東北の反骨精神を筆一本に託して権力に抗した。後年は杉浦重剛、志賀重昂らと近代ナショナリズムを標榜した。

札幌農学校の前身ともいえる七重村の実験農場は、蝦夷島総裁の榎本武揚と深い関係にあり、政府批判の言説を吐いた『日本』は、志賀重昂らの札幌農学校卒業生が集う拠点であったことから、その新聞に育英黌開校の広告を載せたのも肯けると白井隆一郎が言っている（『榎本武揚から世界史が見える』ＰＨＰ新書）。その広告に掲載されている講師陣を見ると、札幌農学校、沼津兵学校、工手学校という「旧幕臣教育ネットワーク」が浮かんでくる。その講師たちの卒業歴と関係学校歴を見てみよう。

荒川重秀（札幌農学校卒）、岩崎行観（札幌農学校卒）、上野清（上野塾・東京実業高校）、眞野肇（沼津兵学校卒）、諏訪鹿三（札幌農学校卒）、石橋絢彦（沼津兵学校卒・工手学校）、小田川全之（沼津兵学校卒）、渡瀬寅次郎（沼津兵学校付属小学校卒・札幌農学校卒）、田辺朔郎（沼津兵学校付属小学校卒・工手学校）、妻木頼黄（工手学校）、眞野文二（工手学校）、三好晋六郎（工手学校）赤松則良（沼津兵学校）、成瀬隆蔵（沼津兵学校卒・東京商法講習所）、矢吹秀一（沼津兵学校卒）、山本淑儀（沼津兵学校卒）、それに、榎本の五稜郭の戦友で宮古湾奇襲作戦を指揮した荒

井郁之助、江原素六（沼津兵学校）、「西国立志編」の中村正直も名を連ねている。

ざっとこんな具合だ。開拓使仮学校が改称した札幌農学校は、榎本の北海道時代の繋がりがあったし、沼津兵学校は、旧幕臣としての強い絆があった。そして、工手学校は、すでに述べたように、渡邊洪基が旧幕臣の免罪を嘆願したこともあって、榎本との関係は浅からぬものがあった。このように農学科は、沼津兵学校を中心とした旧幕臣の教育ネットワークとして、太い紐帯を形成していたと考えられる。

校長・伊庭想太郎

農学科（農業校）の母体である徳川育英会が、旧幕臣の子弟を教育するために設けられたことは先に述べた。その第一代会長は赤松則良で、第二代会長が榎本武揚、幹事長が伊庭想太郎だった。その伊庭は、西周が浅草三筋町に開設した私塾で学んだ後、育英黌の講師になっている。

麹町飯田町河岸にあった育英黌は、甲武鉄道（現中央線）敷地の問題から小石川区（現文京区）大塚窪町に移転し、育英黌分黌農業科として再出発して、榎本武揚が経営にあたり、伊庭想太郎が黌長となった。そして、明治二六（一八九三）年五月、渡瀬寅太郎たちの旧幕臣関係者の努力によって、育英黌から独立して私立東京農業校と改称して、伊庭が校長に就任した。

校長に就任した伊庭は、榎本が政府の要職に就いて多忙になり、学校経営を独力では出来ないとの判断から、一時、学校を放棄しようかと考えたこともあったらしい。しかし、伊庭の苦心努力により、農学者の横井時敬（後に、東京農学校校長・東京農業大学長）が関係していた大日本農業会にその本部を移管して困難を切り抜けた。その間、伊庭は、同校の同窓会である「農友会」の会長となり、明治三〇（一八九七）年一月に校長職を辞任するまで東京農学校とともに歩んだ。また一方、伊庭想太郎の社会での活動歴を見ると、四谷区会議員、学務委員、日本貯蓄銀行頭取、江戸川製紙場長成社社長などを歴任している。

江戸主義に反する

ところで、簡単な人名事典を見ると、伊庭想太郎を「テロリスト」と目しているものがある。それは、明治三四（一九〇一）年六月二一日に、当時東京市教育会会長であった星亨を暗殺したことによっている。星の政治手法はあくどく、市街鉄道問題で、良識派の渋沢栄一や田口卯吉を辞職に追いやっている。その延長線上に星刺殺事件は連なっているように思われる。

幕臣、伊庭想太郎の系譜には剣の気が漂う。幕府講武所剣術師範伊庭軍兵衛の次男。想太郎の兄、伊庭八郎は心形刀流の剣客だ。八郎は、鳥羽・伏見の戦いで敗残して江戸に帰り、沼津で官軍の後方に迫って箱根を占拠したが、そのとき左腕を失って、また江戸に戻り、今度は彰義隊に入る。しかし、彰義隊も滅亡。ついに榎本武揚に従って五稜郭に立て籠るが、ここでも銃創を負って、陣中で死亡した。伊庭八郎には、後に述べる尺振八のところで再登場願う予定だ。ともかく、弟の想太郎も、当然のことながら心形刀流を受け継いでいる。

これまで、徳川家に仕える武士および家臣を一口に幕臣と言っていたが、正確にいうと、徳川家に直接仕える武士を「直参」といい、徳川幕府に仕える家臣が「幕臣」で、すなわち幕府官僚という役所だ。伊庭想太郎、八郎は「直参」だ。この直参は徳川家に対する忠誠心が強く、伊庭想太郎や八郎の生き様を反映している。

東京市教育会長の肩書きを持つ星亨が、東京市会の汚職事件に関与し、その後の無責任な発言などに激昂した伊庭は、明治三四（一九〇一）年六月二一日に、東京市参事会室に乗込んで星を殺害した。

世間の目は、伊庭想太郎に同情的であった。伊庭とは一面識があったという、中江兆民は、「生ける星は追剥盗賊、死せる星は偉人傑士」という世評の浮説を皮肉り、伊庭の行為を「この挙に出たのは、理由がないわけではなかった」と消極的にではあるが容認している。そして暗殺を否定しつつも、「悪を懲らしめて禍を防ぐためには、暗殺は必要かくべからざるものといえようか」（『一年有半』・岩波文庫）と、含んだいい方をしている。兆民の本意は暗殺が生じる政治情況を問題にしているのだ。

伊庭は「星は江戸主義に反する」から「江戸の士風を改むるにしかず」とその殺傷の理由を述べたという。江戸主義とは、徳川家直参の心映えだ。薩長の浅黄裏侍に対抗する、都会人としての美意識や志士としての行動を念頭に置いたものと思われる。「押し通る」といわれた強引な手口で汚職に手を染めて、詭弁を弄する、江戸生まれの星亨に「江戸主義に反する」といった伊庭は、つまりは江戸っ子の侠気に反すると公憤して鯉口を切ったということだろう。兆民も「義に激する侠雄の徒起ちて天下のためにこれを刺す」といっている。「侠雄」とは、「男気」のことだ。

その星亨についてちょっと付け加えておく。ロシアで行方不明になった新聞記者大庭柯公が、愛書家、蔵書家について書いた「愛書癖」という文章で、慶應大学図書館に寄贈された星亭の蔵書にふれて、「剛腹悪辣の政治家のやうに謡はれた星亭氏の、他の立派な一面を遺憾なく窺はせる「星文庫」が永久に同図書館の一室を成してゐることは、何人も深く考へさせられる。人を論ずるには、その人格の両面を精知したいものである（『ペンの踊』大阪屋号書店）との言は一掬の同情か。

榎本武揚が没したのは明治四一（一九〇八）年だから、榎本は伊庭が起こしたこの事件を知っていたはずだ。どのような思いでこの事件を聞いたであろうか。

東京農大出身の作家、竹村篤の『小説東京農大』（楽游書房）という一冊がある。後に東京農大の学長になった横井時敬を主人公としたものだが、当然、榎本も登場する。この伊庭の事件については、獄中の伊庭を「農大の商議員」という肩書を外すことを榎本が横井に相談する場面がある。本人からの申し出もあってのことだが、不祥事を起こした伊庭を農大の関係人物として置いておくのは、「学校のためなるまい」と榎本にいわせている。榎本と横井のこの会話の結論がどうなったか、この小説は伝えていない。伊庭は獄中死した。「東京農業大学創立七十周年史年表」の明治三四（一九〇一）年の項に、「元校長伊庭想太郎、東京市役所参事会堂で星亭（東京市教育会会長）を刺殺した」と記録してある。歴史的事実の刻印である。

農学栄え、農業滅ぶ

「学んで後に不足を知る」という学問に対する姿勢をもっていた榎本武揚のプログマティズムは、教育でいえば実学だ。農学科設立当時の様子を伝える新聞報道は、その実学教育を伝えている。たとえば、『読売新聞』（明治二五・一〇・二四）は、「〇榎本子育英黌を設立す」の表題で、「向島に住まわる榎本武揚子は今回、小石川区大塚窪町に私立育英黌を設立せられしが、其の目的は実業模範となる試験場となさんが為なりと」と報じている。「実業模範となる試験場」とは、まさに実学教育だ。農学校が所有する田圃は、畑一町一畝歩田二反歩があり、桑、茶の苗木は欧米諸国より取り寄せていた。ここで生徒たちは農業実習をした。

この実学教育という農業学校の建学の精神が、具体的に確立したのは、明治二八（一八九五）年に、榎本武揚の招きで、明治農学の第一人者である横井時敬が評議員として参加した頃からである。

横井時敬は、熊本県の出身。熊本洋学校で英学を学ぶ。その後、駒場農学校を卒業し、帝国大学農科大学教授となるが、その間に、伊庭の時代に移管した大日本農業会附属私立東京高等農学校の教頭に就任し、校長代理として経営に当たり、明治四四（一九一一）年に、私立東京農業大学の初代学長に就任した。

その横井は、榎本の教育方針を継承して、実学を重んじた。「農学栄え、農業滅ぶ」という学問のための学問を排して、「稲のことは稲に聞け、農業のことは農民に聞け」という現場重視や、「土に立つ者は倒れず、土に活きる者は飢えず、土を護る者は亡びず」という農本主義を立脚点とした土着的な精神を提唱した。この精神は、「大根踊り」（「青山ほとり」）で有名な東京農業大学のキャンパスに根強く生きづいている。

しかし、冒険心を鼓舞して、農業教育に情熱を傾けた榎本武揚であったが、東京農大キャンパスに鎮座する榎本の胸像は、時代の波に晒されたように置き忘れられて、学生たちの視野に入らないらしい。東京農大で忘れられていたその榎本武揚を、松田藤四郎（東京農業大学元理事長）は、「榎本武揚を東農大の生みの親、横井時敬を育ての親」と位置付けて、その復権に意を注いでいる。

第五章　高橋琢也の東京医学専門学校

事の発端

まず、事の発端に関わる外伝を少々。新宿という共通の発祥の地を持つ東京医科大学、東京薬科大学、工学院大学の三大学が「医薬工3大学包括連携」という学問的交流を図るための調印式が、平成二二（二〇一〇）年九月一七日に行われた。それに先立って、各大学間での個別折衝があった。

工学院大学の役員が挨拶に東京医科大学を訪ねた時のことである。名刺代わりに工学院大学の歴史を書いた『工手学校』（中公新書ラクレ）を持参して、東京医科大学の理事に進呈した。するとその本にある著者略歴を見た理事が「この著者の茅原健氏は、茅原華山という明治・大正期に活躍した評論家の関係者ですね。これは奇遇です。実はこの茅原華山は、本学の前身校である東京医学専門学校の創設の時に尽力してくれた一人で、その記録もあります」ということであった。

これを契機に東京医専研究室の友田燁夫主任教授（生化学）から資料の提供などがあって、東京医科大学の創設と茅原華山、それに東京医の創設者高橋琢也について、同人誌『隣人』（二〇一二・六）に書いた。この稿はそれによったものである。なお、この稿に歴史学者鹿野政直先生から多大な啓示を受けたという伝言を頂いた。

ドクター・ベランメー

さて、ドクトル・ベランメーの異名があった長谷川泰が創設した医学校済生学舎から話を始める。

長谷川泰は、天保一三（一八四二）年、越後長岡藩に生まれた。順天堂の佐藤尚中に西洋医学を学んだ。工手学校の渡邊洪基と同じコースだ。戊辰戦争の時、松本良順と渡邊洪基は、会津救援隊の負傷者治療医師団の役割を担って、会津に向かった。この時、長谷川が同道したかどうかは分からない。長岡藩では、恭順、抗戦と藩論は揺れたが、結局、河井継之助が薩長軍と対抗して激戦となり、古志郡福井村にあった長谷川の生家は焼失し、一家は非常な苦難をなめたのだった。

維新後、長谷川は大学東校に入り、その後の細かい閲歴は略すが、徳川幕府の医学校精得館の後身である長崎医学校の校長に就任した。ところが長崎医学校は戦時病院に移管することになり、長谷川は職を失い、東京に戻って、勇躍、医学校を創立することを思い立つ。本郷元町一丁目六六番地に小さな校舎を建てて、明治九（一八七六）年四月に済生学舎を開校した。長谷川の医学は洋医であったことは当然だが、漢方を全く否定したものではなかったという。

この学校に学んだ者で有名な人物は、女生徒第一号入学者の高橋瑞子と吉岡弥生だろう。高橋は卒業後、男装をして往診に出掛けたという女丈夫であった。高橋瑞子については、花郁賀太の『明治文明開化の花々』(文芸社)に小伝がある。吉岡弥生は、医術開業試験に合格して、東京で医院を開設。その後、わが国最初の女医養成教育機関である東京女医学校(現・東京女子医大)を創設して校長に就任した。『吉岡弥生伝』(吉岡弥生伝伝記刊行会)がある。また、明治女学校の校医で、明治二〇(一八八七)に医師免状の第三人目の取得者で、キリスト者だった荻野吟子。そして、生沢久野も出身者だ。荻野吟子については、その生涯を描いた、渡辺淳一の小説『花埋み』(新潮社)があり、生沢久野については、長谷川美智子の『野菊の如く—女医第二号　生沢久野の生涯』(健友館)がある。なお、「女医事始」など明治以降の女子教育を論じた小河織衣著の『女子教育事始』(丸善ブック)が参考になる。

ところで、長谷川は、この済生学舎を私立医科大学に昇格させようとして奔走する。ところが、私立学校に冷淡であった当時の文部省は、言を左右にしてこれに応じようとはしなかった。自分一人の考えだと断りつつ、藩閥に拮抗する旧幕臣の意気地をたてて、剛胆な長谷川は「藩閥の徒、若しくは藩閥に縁故ある医師が勝手の挙動を為し得る限り日本国に於いては、私立医学校を設立すべからざるものと確信するなり」といい、政府は私立学校を撲滅せんとする計画をしているという演説をして物議をかもしたことがあった。

そして、「私立の医学校を当局者に低頭しても持続せんとする馬鹿者ありや」と言い放って、明治三六（一九〇三）年八月三〇日、『報知新聞』に「済生学舎廃校」の広告を出して、長谷川は自らの手で済生学舎を廃校にしてしまった。

この長谷川泰については、蘇門山人著『長谷川泰先生小傳』（長谷川泰先生遺稿集刊行會）があり、唐沢信安の『済生学舎と長谷川泰　野口英世や吉岡弥生の学んだ私立医学校』（日本医事新報社）という評伝がある。

森鷗外らが支援

この廃校となった済生学舎を、明治三七（一九〇四）年四月一五日に、磯部検蔵、山根正次（初代校長）らが引き継いで、神田淡路町昌平橋畔に創立されたのが日本医学校である。実際の経営に当たったのは、同校の校祖とされる磯部検蔵であった。そして、明治四五（一九一二）年七月には、日本医学専門学校に昇格した。しかし、済生学舎の廃校のひとつの原因となった、医師国家試験を受けずに医師資格が得られる、いわゆる無試験指定校の認定問題も引き継ぎ、これが紛争の火種となる。

済生学舎から引き継いだ学校の設備は貧弱なものであったらしく、無試験指定校認定をうけるにはほど遠いものであった。にもかかわらず、磯部ら学校関係者は、学生たちに卒業する時には文部省の認可が下りると公言していた。ところが一向に認可される様子もなく、業を煮やした学生たちは設備の改善と山根、磯部両理事の退任を求めた血判状を作成してストライキに入った。これに対して学校側は、一三名の学生の処分を断行した。これに怒った学生たち四百数十名は、処分された一三名に殉じて同盟退学をしたのであった。


広島県出身の長委三美は、日本医学専門学校に入学して、この紛争の渦中にいた学生である。彼は自分たちが置かれた立場を社会問題として捉えて、現状を訴えるために各界の名士を訪問して理解を求めた。この運動は長谷川泰が蘇生した感がある。以下に長たちが訪問した主な人物をピックアップする。

法学者で、中国辛亥革命の革命政府の顧問をした寺尾亨。赤穂義士について書いた「元禄快挙録」があるジャーナリスと福本日南。沼津兵学校、麻布中学校の江原素六。『萬朝報』論説委員、民本主義を唱導した茅原華山。日比谷焼打事件や大逆事件の弁護を担当した花井卓蔵。森鷗外や富士川游と親しかった精神医学の呉秀三。生理学の永井潜。仏教運動家の高島米峰。詩人で随筆家の大町桂月。夏目漱石の「吾輩ハ猫デアル」の甘木先生のモデルで、夏目家の家庭医であった尼子四郎。元沖縄県知事の高橋琢也。高橋は後に東京医専の理事長になった。沼津兵学校出身で『横浜毎日新聞』の島田三郎。「大風呂敷」といわれた後藤新平。明治の文豪森鷗外。陸軍軍医総監の石黒忠悳。自由民権運動家の河野広中などなど。

このメンバー、心なしか長谷川泰の非藩閥の心根を引き継いだ臭いがする。これだけの人物の自宅や勤め先を、長青年一同は、歴訪、行脚したのであった。その訪問記をまとめたのが、長委三美が残した『東京医科大建学の礎』（東京医科大学・復刻版）だ。共鳴者が多く、長たちを激励した。それに、紛争の経緯を日録風に記録した「紛争真相録」が掲載されている『奮闘之半年』（東醫學生會）がある。

福本日南は、「団結は切に大切である」と励まし、江原素六は「学生の為なら何でも出来る事なら尽してあげるつもりである」と応援した。茅原華山は、自分が主宰する雑誌『洪水以後』に「日本医専紛憂経過録」という折り込み記事を載せて支援のための情報提供をした。島田三郎は、「永い間の困難艱苦を決して忘れないように有効に使って、他日の成功を祈ります。賛成致しましょう」と学生を慰労、激励している。かつて、済世学舎の授業体制の不備を指摘した森鷗外ではあったが、「日本医専のような学校は望まぬが充実したる学校は幾らあってもいいと思う」と学生たちの運動を是認している。そして、万世橋ミカド倶楽部で開かれた学生会議には、高橋琢也、寺尾亨、向軍治、茅原華山、秋虎太郎、笠原文太郎らが参加して学生たちを激励した。

かくして、学生たちの熱意、名士の援護などがあって、新たな医学校設立の認可が文部省から下り、寺尾亨の兄、寺尾寿が校長をしていた東京物理学校の一部を借りて、東京医学講習所が開設されたのであった。開校式の顧問には、中浜東一郎（中浜万次郎の嫡男）、佐藤進（順天堂佐藤泰然の三代目当主）、森鷗外らが就任した。設立者には、大角桂巌、高橋琢也、福本日南、寺尾亨、秋虎太郎が名を連ねている。途中、経営困難なときがあったが、高橋琢也が自分の資産を投じて難局を乗り切り、大正七（一九一八）年四月、東京医学専門学校へ昇格し、大正九（一九二〇）年には、無試験開業指定の認可が文部省より下りて、昭和二一（一九四六）年、名実共に私立東京医科大学として船出したのであった。

理事長に就任した高橋の教育理念は、「自主・自由」を根幹としたものであった。そして、人命を預かる医学校として、「正義・友愛・奉仕」の精神を学是とした。この正義、友愛、奉仕のキーワードは、大正時代の時代的雰囲気を感じさせる。

なお、この東京医専の波乱万丈の歴史をまとめた論考に友田燁夫の「高橋琢也と学生達（疾風怒濤の物語）」（『東京医科大学雑誌』）などがある。

「かくれ幕臣」

東京医専の開学の祖といわれる高橋琢也は広島県出身。明治三（一八七〇）年、開成学校南校のドイツ語の教授になっており、漂流してアメリカに渡った中浜万次郎とも交流があった。東医の開校式に、万次郎の嫡男が顧問に就任しているのは、その関係からだろう。また、明治四（一八七一）年ころ、高橋は、洋学の私塾を開いていたらしい。その後、山林局に入局。東京農林学校教授、林務官、明治二七（一八九四）年、榎本武揚が再び、伊藤博文内閣の農商務省大臣に就任したときに、高橋は、農商務省山林局長に就任した。そして、このころ、森林法を制定して高い評価を得た。これは、今日でいうエコロジーのはしりといえるものだ。明治二一(一八八八)年には、西周の序文がある『森林杞憂』を自費出版し、明治三一(一八九八)年に明法堂から刊行された。薩長嫌いの原敬に推されて沖縄県知事も勤めた。

大正時代になるが、原敬の御用雑誌『国論』(国論社)の社長に就任している。その雑誌の大正七(一九一八)年五月の「東京医学専門学校創立記念」特集号に、原敬(立憲政友会総裁)、仲小路廉(農商務大臣)、田尻稲次郎(東京市長)、安東謙介(横浜市長)、井上角五郎(衆議院議員)、大岡育造(衆議院議長)が寄稿している。

右の経歴で見るように、高橋琢也は、榎本武揚や原敬という旧幕臣の人脈に連なっていて、次のような幕臣系列を思わせる興味深いエピソードもある。

戊辰戦争のとき、徹底抗戦の榎本武揚が箱館に向かった際、甲賀源吾が艦長の回天丸もこれに従った。しかし、陸中宮古湾で官軍の奇襲にあって、甲賀源吾はあえなく戦死した。この甲賀の妻が富士で、佐倉藩の小柴新一郎の娘であった。甲賀源吾が戦死したのち富士は、生家に帰った。そして、縁あって林務官時代の高橋琢也に嫁いだ。このことについては、依田学海が撰文した千葉県八千代市大和田新田にある「小柴宣雄墓碑」に、「女三曰富士嫁林務官高橋琢也」と記述されている。広島藩は、明治政府軍に加担している筈だが、この話に原敬の人脈もあり、高橋琢也は「かくれ幕臣」ではなかったかと思われるのだ。この富士があるとき鶏卵一箱をもって、同じ佐倉藩の依田学海を訪ねた。そして、兄の小次郎が脱藩して草風隊に参加して転戦。負傷して会津の病院で療養していたところ、会津城落城と思い込み自刃した。その兄の伝記を書いてほしいと頼んだ。この話、『学海日録』（岩波書店）に出ている。依田学海は、徳川慶喜の助命を嘆願した明治時代の漢学者。劇作家。演劇改良の先駆的役割を果たした。守田勘弥、市川団十郎らの名優を指導した。

ついでに言い足せば、甲賀源吾の死によって、甲賀家は一時断絶した。これを心配した徳川家海軍総裁の矢田堀景蔵（静岡藩軍事掛）が跡目相続の手続きをした。戊辰敗者の跡目相続が許可されたのは異例であったらしい。その養子になったのが、甲賀宣政（二見喜知郎）である。矢田堀は宣政を尺振八の共立学舎に通わせた。そして、大蔵省翻訳局に入れて勉強させ、甲賀家を継がせたのであった。

高橋琢也の家

東京医科大学の新宿キャンパスを入ると和服姿の高橋琢也の銅像が目に入る。その高橋に中国亡命者との関連を想定させる余談がある。中国の政治改革家の梁啓超が明治三一(一八九八)年の戊戌政変によって日本に亡命して来たとき、梁は隠れ家を転々とした。その隠れ家のひとつに、馬場下の憲法の神様と言われた犬養毅の家の直ぐ裏手に当たる「早稲田鶴巻町四〇番地高橋琢也所有の家」というのがある。これは東医の高橋琢也の家に違いない。

この「高橋琢也所有の家」の関係から、伊東洋『医学校をつくった男　高橋琢也の生涯』(中央公論事業出版)では、「孫文をかくまう」という項目があり、高橋が中国からの亡命者たちを直接匿ったようにあるが、これは誤認の可能性がある。ここでは省略するがその顚末については、別稿「高橋琢也　異聞―東京医学専門学校のことなど」(『隣人』第25号・私家版『雞肋集―茅原華山余話』所収)で詳しく触れた。なお、この亡命者梁啓超については、陳立新の『梁啓超とジャーナリズム』(芙蓉書房)がある。

また、いわゆる東京医専の学校紛争の後に東京医学専門学校と袂を分かって、再出発した日本医学専門学校は、現在の日本医科大学である。

第六章　旧幕臣のキリスト者による学校

明治期キリスト教

明治期キリスト教は、人権思想を覚醒した。神の前では人間は皆平等であるという摂理は、格差社会に逼塞していた人々に一縷の望みを与えて、キリスト教への信仰を促し、この人権思想は、官僚専制政治に抗した自由民権運動にも連動した。

ところで、幕末に起こった戊辰戦争では、勝てば官軍、負ければ賊軍というように、勝者と敗者とを鮮明に峻別した。そもそも戊辰戦争における「賊軍」とは何か。維新史の成敗を簡単にいえば、中村彰彦が指摘する如く、戊辰戦争で戦いを優位に進めた薩長軍に朝廷は、「朝命を奉ぜずして兵を擁し上京する者は朝敵なり」という勅書を届けた。「これによって禁門の変の賊軍長州軍は官軍となり、旧幕府軍は賊軍となったのである」(「官軍対賊軍」『幕末史かく流れゆく』中央公論新社)。

この歴史の反転により賊軍となり、果ては敗者となった旧幕臣の青年たちは、しかし、国家再建の志を高く持って、次世代を担う青年たちの教育にその情熱を傾けたのである。その反骨の精神に流れるものが、明治期キリスト教であった。キリスト教の倫理観によって、これからの日本を背負う青年子女たちを育成することにこそ人生の意義を求めた、神に仕えるサムライたちがいたのである。

精神的革命は時代の陰影から

史論家の山路愛山は、戊辰敗者とキリスト教との因果を次のように論評している。

戰争は既に過去の物語となりたれども戰敗者の心に負へる創痍は未だ全く癒えず。かくて時代を謳歌し、時代と共に進まんとする現世主義者の青年が多く戰勝者及び其同趣味の間に出て、時代を批評し、時代と戰はんとする新信仰を懐抱する青年が多く戰敗者の内より出でたるは與に自然の數なりきと云わざるべからず。総ての精神的革命は多くは時代の陰影より出づ。基督教の日本に植ゑられたる當初の事態も亦此通則に漏れざりしなり（『現代日本教会史論』岩波文庫）。

そして、愛山はキリスト教によって自己の道を切り拓いた者たちには、戊辰戦争で敗者となった旧幕臣にその多くが見られると、その具体例を挙げている。「幕人の総てが受けたる戦敗者の苦痛を受けた」という植村正久。「維新の時に於ける津軽の位地と其苦心とを知る」立場にあった本多庸一。「國敗山河在の逆地を経験した」とされる井深梶之助。「佐幕党にして今や失意の境遇」に置かれた押川方義などである。

かくいう山路愛山も、幕臣の系譜に連なるキリスト者である。父一郎は、彰義隊に参戦して敗北。その後、榎本武揚の幕府海軍に従って、箱館五稜郭で維新政府に抗戦して、一時行方不明になって敗残。愛山は父の戦敗者の悲哀を味わう。

森鷗外の歴史評伝「渋江抽斎」に登場する抽斎の嗣子渋江保が、私立静岡英語学校の教頭をしていたときに、一六歳の愛山は、J・S・ミルの「自由論」などを教えられた。また、メゾジスト教会牧師平岩愃保から受洗。愛山のキリスト教信仰生活を辿ると、麻布鳥居坂の東洋英和学校に入学。その後、静岡袋井での定住伝道に従い、「牧会活動に加えメゾジストの機関誌『護教』主筆となり、神学論争では正統派基督教擁護の論陣を張った」(『日本キリスト教歴史大辞典』教文館)。

自由キリスト教の立場からキリスト教の「日本化」を模索した山路愛山のキリスト教は、落剥の士族が自分の使命を発見するための倫理規範であったといえるだろう。愛山が「現代日本教会史論」で取り上げた幕臣のキリスト者たちは、キリスト教を建学の精神とした私立学校を設立している。そのいくつかを見ていこう。旧幕臣と当時の開明思想であったキリスト教との結び付きが浮かび上がる。

植村正久の東京神学社

植村正久の生家は、旗本千五百石取りの家であったが、大政奉還とともに一家は没落し、所領地に帰農した。「幕人の総てが受けたる戦敗者の苦痛を受けた」植村は、しかし、家の再興を図って横浜で薪炭商を営んだ。正久は貧困のなかで英学を学び、やがて、アメリカ改革派教会の宣教師Ｊ・Ｈ・バラ（一八三二〜一九二〇）の説教を聞くうちに、キリスト教に関心を持ち、日本での最初の教会横浜公会で受洗した。

バラが来日した頃は、尊王攘夷運動の最中であったので、バラは神奈川の成仏寺に逼塞状態の生活を送りながら、キリスト教禁制のなか、祈祷会を行い、鍼灸医の矢野隆山について日本語や日本文化を学んだ。バラが「先生」と仰ぐ矢野隆山は、日本最初のプロテスタント信者として、バラから洗礼を受けたという（中島耕二「Ｊ・Ｈ・バラ―日本基督公会の創設者」『横浜開港と宣教師たち』・有隣堂）。

その後、植村は、東京一致神学校などで伝道生活を続け、東京神学社神学専門学校を創設し、福音主義による教会の形成に力を注ぎ、日本人による牧師伝道者の養成に努め、キリストによって人類が救われるという福音を日本に根付かせようと心血を注いだ。東京神学社は、現在の東京神学大学の母体のひとつになっている。

植村は小崎弘道、田村直臣らとともに、明治一三（一八八〇）年一〇月、キリスト教主義による啓蒙雑誌『六合雑誌』（東京青年會）を創刊した。当初の編集所は、後に出てくる原胤昭が経営していた銀座の十字屋に置いた。誌名の発案者は、これも後に登場する津田仙であった。その後の編集委員や執筆者には、横井時雄、金森通倫、松本亦太郎、浮田和民、岩本能武太ら同志社関係の人物が多い。同誌の発刊は、当時の読書界に清新な気風を与えた。特に、小崎弘道の「近世社会党の原因を論ず」は、日本に最初にマルクスを紹介した論考として記憶されている。

一方、植村は日露戦争のときは、内村鑑三らの非戦論に対して、自衛戦争の必要性を説いて、海老名弾正、小崎弘道らとともに主戦論を主張した。

本多庸一の東奥義塾

本多庸一の津軽藩は、戊辰戦争の時に東北諸藩が連帯した奥羽列藩同盟では、秋田藩の脱落に絡んで微妙な立場に立たされた。藩論は新政府軍に抗戦か恭順かで揺れた。「維新の時に於ける津軽の位地と其苦心とを知る」この頃十七、八歳であった庸一は、津軽藩士の意気を示して、「飽く迄も薩長に抗せんと欲し、色々と異論百出の間を切り抜け、津軽藩より庄内に走り、之と連合して一大決戦を試みんとし、藩論の一変したのを聴き、腹切て相果てんとした」という。しかし、留まって海外雄飛の志を抱いて横浜に留学。宣教師J・H・バラの塾に入り、キリスト教を受洗。横浜バンドの一員となって房総方面の伝道を分担した。ここで、植村正久、井深梶之助、押川方義らと知り合う。弘前に帰った庸一は、藩校稽古館の後身で、慶應義塾の吉川泰次郎を塾長に成田五十雄を副塾長として、明治六（一八七三）年に開校した東奥義塾の再興を菊池九郎とともに図って、旧藩校の教育的伝統を継承した。

さきに陸羯南が東奥義塾に学んだといったが、本多庸一との交流はなかったようだ。また、この義塾には、オランダ改革派教会の宣教師C・H・ウォルフ（一八四〇〜一九一九）がいたが、羯南にとっては、「西洋の窓」であったはずの、この宣教師についてもなにも言っていないという（小山文雄『陸羯南』みすず書房）。

そのウォルフは教室で「聖書」を講じている。しかし、大学南校の教頭を務めた宣教師フルベッキ書簡によると、「文部省が教育現場から宣教師を排除する」という野望により、ウォルフは一年足らずで弘前を後にした。その義塾は、自由民権運動時代に「東奥義塾党」と称された、「敬神愛人」を校訓とする現在の東奥義塾である。

本多も植村、海老名、小崎と同じように、日清戦争では清韓事件基督教同志会を結成、日露戦争の時は、「征露と伝道」などを著し、主戦論を唱えて戦争に協力した。

このキリスト者と戦争の問題は、天皇制国家という枠組みのなかで、苦渋な道を歩み、特に太平洋戦争については、昭和四二（一九六七）年三月に「第二次大戦下における日本基督教団の責任についての告白」が出され、また、日本カトリック教会の戦争責任については、昭和六一（一九八六）年九月、アジア司教協議会連盟の東京総会で、司教協議会会長の白柳誠一司教から「謝罪」の表明があった。この問題については、『カトリックの戦争責任』（西山俊彦・サンパウロ）がある。

押川方義の仙台神学校

押川方義の伊予松山藩（愛媛）は、幕末では親藩であったことから幕府方につき、長州征伐の時は、その先兵役を果たした。ために鳥羽伏見の戦では、朝敵として追われた。押川が十五、六歳の時であった。親に従って長州征伐に出掛け「子供ながらも刀を反して戦場を睨んだ」という。まさに今や、戊辰敗戦により「佐幕党にして失意の境遇」に押川はあった。そこにキリスト教が現出するのである。

押川は、維新後、開成学校に入学したが、横浜英学所に転じ、「バラ塾」で植村正久、本多庸一と同じように、宣教師J・H・バラやアメリカン・オランダ改革派教会宣教師S・R・ブラウン（一八一〇～一八八〇）の感化を受けて受洗した。この横浜英学所では、大鳥圭介がブラウンの英語の授業を受けている。

やがてキリスト教伝道の大志を抱いた押川は、静岡、新潟と伝道活動を展開した。新潟で伝道中の英国のエディンバラ医学会派遣医療宣教師セオパルド・パーム（一八四八～一九二八）の協力を得たのであった。しかし、新潟では、仏教徒の執拗な迫害に遭い、しかも明治一三（一八八〇）年八月七日の「新潟の大火」と呼ばれる火災により、伝道の地を押川の宿望の地であった仙台に移したという事情があった。

その後、欧化主義全盛の風潮に乗って、米国ドイツ改革派教会宣教師W・E・ホーイとともに仙台神学校を創設し、五年後に東北学院と改称して神学部を設置した。この学院が関東以北の私学の雄といわれ、地元では「学院大」と呼ばれている、現在の「神を畏れ、隣人を愛する」を校訓とする東北学院大学である。

なお、明治時代の冒険小説家の押川春浪は、方義の長男。この押川春浪については、横田順彌・会津慎吾の『快男児・押川春浪』（徳間文庫）がある。

井深梶之助と新井奥邃

会津藩（福島）出身の井深梶之助は、戊辰戦争の辛酸をなめた。白虎隊の学び舎と言われる会津藩最高学府の日新館に学んだ。だが、戊辰戦争の時は年齢制限から白虎隊に入れず、城外で敵の砲弾、銃弾の飛来を、無念の思いを抱いて目撃した。

朝敵の汚名を受けた会津藩は、一藩流罪により、寒冷不毛の地「斗南藩」に流された。会津城が落城した後、洋学を学ぶため開港地横浜にきた井深梶之助は、修文館でS・R・ブラウンの学僕として働き、洗礼を受ける。当時の学僕の仕事は「教室の掃除や教員たちの給仕などで、報酬として寝室と三度の食事を与えられ、学力に応じて生徒なみに授業への出席をゆるされた」（小林功芳「S・R・ブラウン—日本伝道の使者」『横浜開港と宣教師たち』・有隣堂）。ブラウンは、安政六（一八五八）年に来日。宣教のかたわら、英語の普及に努め、『日英会話編』の出版や聖書の和訳にも力を注いだ。その修文館については、関東大震災や第二次世界大戦などで資料が焼失してはっきりしたことは分からないらしいが、小林功芳が「修文館について」（『英学と宣教の諸相』有隣堂）で古老の遺文などの関連資料を駆使して検証している。

当初、修文館は幕府が運営していた漢学塾（文学稽古所）であったが、新政府になって、横浜英学所とともに廃校となった。しかし、新政府は明治二（一八八九）年に、皇学、漢学、洋学の三科からなる塾を再開して、その名称を修文館とした。そこに新潟の英学校からＳ・Ｒ・ブラウンが来たという経緯があったらしい。

　やがてそのブラウンは修文館を辞して井深の懇願もあって、自宅に塾を開いた。そこで本多庸一、押川方義、植村正久などが学んでいる。またブラウンとともに来日した姪のＭ・Ｅ・ギター（一八三四〜一九一〇）は、日本に派遣された独身のアメリカ改革派教会の女性宣教師だった。横浜フェリス女学校を創立している。ギターの小伝に小檜山ルイの「Ｍ・Ｅ・ギター——フェリス女学院を創設」（『横浜開港と宣教師たち』有隣新書）がある。井深はその後、東京一致教会を卒業し、麹町日本基督教会牧師を経て、明治学院創立理事員会に選任されるなどキリスト教教育に献身した。

　幕臣のキリスト者といえば新井奥邃がいる。仙台藩士の藩校養賢堂で学んだ。戊辰戦争に従軍。さらに、箱館に転戦。捕縛を恐れて潜伏。この間にロシア正教会宣教師に教えを受けた。森有礼に見出されてアメリカに留学。帰国後は、巣鴨（現・南大塚）の「謙和舎」に寄宿して門人たちに聖書を講じた。この中に後の足尾鉱毒事件の田中正造がいた。奥邃は、後に述べる明治女学校に寄宿して木村熊二に協力。

「有神無我」を唱えた新井奥邃は、「キリストの奴隷」を目指す信仰生活を送った。

ここで注目しておきたいのは、明治三二（一八九九）年八月三日に発令された「文部省訓令第一二号」だ。これは、私立学校に於ける宗教教育を禁じる訓令であった。訓令は、「法令の規定ある学校に於ては課程外たりとも宗教上の教育を施し又は宗教上の儀式を行ふことを許さざるべし」とあった。しかも、同年に勅令により制定された「私立学校令」は、宗教と教育との区分を明確にする趣旨が盛られていた。

したがって、第一二号の訓令に従わずに宗教教育を行うと、各種学校の扱いとなり、上級学校への進学（高等学校への入学資格）、徴兵猶予の特典（二〇歳での兵役義務が二六歳まで猶予される）を失うことを意味した。東洋英和学校に集まった、ミッションスクールの関係者たちは、この訓令は、信教の自由に違反すると宣言した。井深梶之助（明治学院長）や本多庸一（青山学院長）らは、この訓令の撤回や適用除外の運動を続け、キリスト教教育を守ることに徹した。この時も旧幕臣によるキリスト者は強力な絆となった。井深、本多の努力が実り、明治三三（一九〇〇）年に、徴兵猶予、明治三六（一九〇三）年には、上級学校入学資格を獲得した。

原胤昭の原女学校

明治六（一八七三）年、築地居留地内六番に築地大学という私塾があった。プロテスタント長老派の宣教師カロザースの自宅を開放したもので、外国人経営による東京での最初の私塾とされている。宣教師カロザース（一八三九〜一九二一）は、明治二（一八六九）年に来日して、横浜から東京築地に移り、前記の居留地六番に宣教師館、礼拝堂、耶蘇教書肆などを建設し、キリスト教の伝道を行った。

この築地大学で学んだ者に原胤昭がいる。原は、嘉永六（一八五三）年、旧幕臣で代々江戸町奉行与力を家職としていた家に生まれた。高島易断で知られている高島嘉右衛門が創設した高島学校に通った後に築地大学で学んだ。

その他に築地大学で学んだ者には、戸田欽堂（政治小説の嚆矢といわれる『情海波瀾』の作者）、鈴木舎定（原と『東京新聞』を発行したクリスチャン・ジャーナリスト）、田村直臣（数寄屋橋教会の牧師。北村透谷に洗礼を授けた）などがいた。

ちなみに、カロザースの築地大学は、現在の明治学院の前身校である医療宣教師ヘボン塾とJ・C・バラの家塾を合併して築地大学校と呼んだ学校とは関係がない。

ついでに、原が通った高島嘉右衛門の高島学校について簡単にふれておく。明治四（一八七一）年に横浜伊勢山下に、洋学と漢学を教える学校として創設された。福沢諭吉を迎えようとしたが断られ、J・C・バラが英語の授業を受持っている。この学校に学んだ者には、寺内正毅（シベリア出兵時の首相）、宮部金吾（植物学の権威）などがいた。一時、高島学校は、山師の創った学校といういわれなき嫌疑で、官憲の探索などがあったが、この学校の設立の功に対して、明治天皇から三組の銀杯が下賜されて、面目を施したのであった。高島は工手学校の賛助員に名を連ねている。しかし、高島個人の力の問題や財政難もあって経営は長く続かず、神奈川県に無償で引き渡されて、明治六（一八七三）年に廃校となった（持田鋼一郎『高島易断を創った男』新潮新書）。ここで少し注釈を加えると、「神奈川県に無償で引き渡されて」というのは、先に述べた井深梶之助が学僕をしていた修文館との合併を指しており、その学校を「横浜市学校」とか「藍榭堂」と称したことから、高島学校を「藍榭堂」と表記する文献もある。

原胤昭に話を戻す。明治三（一八七〇）年、カロザース夫人ジュリヤが築地居留地A六番に女学校（A六番女学校）を設立した。この学校は、東京では最初の女子教育施設といわれた。ところが、カロザース夫妻が広島に赴任して、築地大学と共に廃校になった。これを惜しんだカロザースから洗礼を受けた原胤昭が引き継いで、銀座三丁目河岸通（三十軒堀）に煉瓦造りの洋館を建てて、明治九（一八七六）年九月、ミッション資金によらない日本最初のキリスト教主義の女学校を創設した。原女学校である。世間では銀座学校と呼んだらしい。しかし、原女学校は通称で、正式には原学校といったらしく、届け出の書類は、成樹学校となっているという。

「原女学校建設趣意書」というのがあって、原胤昭の女子教育に対するなみなみならぬ決意のほどが書いてある。要するに、日本の家庭の母親の責任は重大で、それには、日本の女子に三絃歌舞ばかり教えていてはだめだ、善良な女子を教育しなければならないと、戸田欽堂と相談して学校を建てると言っている。

英学を主とする女塾で、一五歳以下を対象とした。学科目は以下の通り。

下級生徒　綴書、リードル、会話、地理書、究理学初歩、文典、算術。

上級生徒　地理書、究理書、修身学、歴史、経済書、算術、点竄。

この中の「点竄（てんざん）」というのは、『大辞林』で調べると、日本数学（和算）の元祖ともいうべき関孝和が作り出した高等代数術とある。

しかし、この原女学校は、おそらく財政難からであったろう、明治一三（一八八〇）年に閉校している。日本でのクリスマスの祝いは、この原女学校で行われたのが初めてで、原が扮したサンタクロースも本邦初登場だったという。

一方、原はキリスト教関係書籍の出版や販売をする「十字屋」を創業した。『六合雑誌』の編集をここでしたことは先に述べた。この十字屋から原胤昭編集の『猶太国地人名抄』が明治一一（一八七八）年に刊行されている。

もうひとつ原にとって大事なことは、明治一一（一八七八）年一月一一日に、当時の内務卿大久保利通に「奉教自由願」という信教の自由を願い出たことである。これには、原とともに戸川安宅、斎藤夸雄、手塚新らが名前を連ねている。原にとって、国政に従えば、信仰の自由を得られず、信仰を守ろうと思えば国政に背くというジレンマにあって、信仰の自由は、自らの体験からいっても重大な問題であった。この信教の自由については、鈴木範久の『信教自由の事件史―日本のキリスト教をめぐって』（オリエンス宗教研究所）の「原胤昭の建白」でその次第が述べられている。

原は、やがて自由民権運動に関わって投獄されるなど波瀾の人生を送り、その入獄体験から囚人の窮状を見て、神田に免囚保護場を開設して、囚人の保護活動、監獄の改善などに献身し、キリスト教教誨師として後半生を送った。『戊辰物語』（岩波文庫）に幕末生き残りの与力として、火事装束の原胤昭の写真が掲げられている。

原女学校は短命であったが、築地居留地にあった新栄女学校（アメリカ長老会の婦人宣教師バークを中心に、明治六（一八七三）年に創設された築地Ｂ六番女学校）、キリスト教主義による櫻井女学校（櫻井ちか）とともに併合され、矢嶋楫子の女子学院となり、現在の「女子学院」として命脈を保っている。原胤昭の末裔に当たる中西拓子著『開国の時代を生きた女からのメッセージ』（碧天舎）に原胤昭や原女学校のことが紹介されており、太田愛人の「原胤昭」（『開化の築地　民権の銀座』・築地書館）、片岡優子の『原胤昭　生涯と事業』（関西学院大学出版会）がある。また、山田風太郎の『明治十手架』（上下二巻　読売新聞社）は原胤昭が主人公の小説である。

なお、江戸殉教の地を辻の札にあった浄土宗智福寺と見定めたのは、原胤昭の探索によったものである（原胤昭・原鶴磨『隠れたる江戸切支丹遺跡』六号館）。

ところで、現在の女子学院から出ている「ＪＧニュース」で、明治期に来日した宣教師たちは、西欧文明を日本に伝えることに使命感を抱いていた。だから、明治期キリスト教は、伝えた側も受け止めた側も「文明の宗教」であった。これは、名もなき者、貧しき者の「信仰」というあり方から見れば、キリスト教といっても異質の感があり、それは、「所詮キリスト教は日本の文明化に役立つ限りにおける信仰でしかない」。そしてまた、「彼らの持つエリート意識も気になる」と言っている。この発言は、平信徒の明治キリスト教に対する見方を表していて興味深い。

築地居留地界隈

右に見たように、築地は外人居留地だった関係から、多くのキリスト教宣教師が来日し、その宣教師らによって設立された英語塾を中心としたミッションスクールが多く設立された。とくに、日本の女子教育の先駆的役割を果たしたミッションスクールは、プロテスタントの宣教師によって設立された学校が多い。例をあげれば、女子学院（A６番女学校）、立教学院（セントポールズスクール）、明治学院（東京一致神学校）、立教女学院（立教女学校）、青山学院（海岸女学校）、関東学院（東京中学院）、アメリカンスクール（外国人学校）、女子聖学院などだ。その他に、築地には、双葉学園（仏国童貞学校）と暁星学園も誕生しているが、この学校はいずれもカトリックである。

この近代日本の曙の地といわれる築地居留地については、清水正雄の『東京築地居留地百話』（冬青社）が簡便な概説書になっている。そこにこの居留地を発祥の地とした工手学校、後に述べる慶応義塾、攻玉社、そして、作家の谷崎潤一郎が通ったサンマー英学校（欧文正鵠学館）などの説明がしてある。ちなみに、この欧文正鵠学館を含めた「築地居留地と東京の英学」（手塚竜麿『日本近代化の先駆者たち』吾妻書房）という文章が築地居留地を発祥とする女子教育、大学教育を概括している。

その築地居留地の歴史的経緯を簡単に述べると、徳川幕府三百年の鎖国政策が黒船の来航によって重い扉が開けられ、外国との交渉が始まったその結果に生まれた居留地である。居留地は、外国人が居住、営業することを許可した特別な地区である。安政五（一八五八）年に締結された日米修好通商条約で、日本の七ヶ所に外国人居留地を設置することになり、函館、新潟、江戸、横浜、大阪、神戸、長崎の七ヶ所が決まった。江戸開市を約束させられた幕府は、外人居留地の開設を延ばしに延ばしたが、明治新政府になって明治元（一八六八）年一一月一九日に、ようやく鉄砲洲（築地）居留地が開かれた。

江戸時代の築地は、当時は鉄砲洲屋敷といって多くの大名屋敷が並び、海岸は江戸湊や漁師の町として栄えた。そこが居留地となったのだが、商社が進出した他の居留地と違って、太平洋に接する地理的条件もあり、諸外国との交流窓口の役割を以て、領事館や公使館が開設され、また、多くの宣教師が布教のためにやって来た。およそ一三教派のミッション本部が築地に集まり、教会、学校、病院などの活動が盛んになった。そのために築地居留地は教育と文化の街となった。

随筆家の内田魯庵は、当時の築地を回想して「日曜の朝、外国人が一家打連れて盛装して教会へ行くに摺れ違い、会堂を洩れるピアノや讃美歌のコーラスを聞く時は一種のエキゾチックの気分に陶酔する。爰へ来ると外国人と握手の一つもして日本語より英語を饒舌りたくなり、基督教を奉じて讃美歌の一つも歌いたくなる」(『魯庵随筆　読書放浪』平凡社東洋文庫)と感慨深げだ。

居留地での日本人は鑑札を持った者だけが、三ヶ所の橋に限って通行を許可されている。築地、銀座の大火の後、五二の区画に分けた居留地の土地整理が済み、外人の住む洋館が建ち並ぶようになった。条約改正によって治外法権の居留地が撤廃されることになり、明治三二（一八九九）年、築地居留地は廃止された。

木村熊二の明治女学校

明治女学校の創設者、木村熊二と妻鐙子は、幕臣の怨念を胸中深く秘めていた。木村熊二は、弘化二（一八四五）年の生まれ。幕臣として長州征伐に参加し、彰義隊にも身を投じて幕臣としての意気地を示した。

先に述べたように幕臣のなかには恭順派がいた。静岡学問所や沼津兵学校の教師たちにも恭順派がいたことは確かだ。しかし、熊二は徹底抗戦派だった。ために敗戦後は、政府軍の探索を逃れて、横浜に隠れ、静岡に逃れるという苦渋を舐めた。そして外山正一の紹介で森有礼の一行に参加してアメリカに渡った。その時も、勝海舟の助言で「佐倉定吉」という偽名を使って船に乗った。彼地でミッション派遣宣教師の資格を得て帰国する。彼がキリスト教に帰依したのは、薩長の怨念を越えるためだったのかもしれない。

熊二は、田口卯吉の異父姉の鐙子と結婚する。駿府に移住した鐙子も敗者の一族で、赤貧洗うがごとき生活に耐えていた。鐙子は、下谷教会でフルベッキより受洗した。そして、田口卯吉も幕臣としての辛酸を舐めたことはすでにふれたが、田口はキリスト教にも強い関心を持ち、葬儀はキリスト教の形式によって行われている。

木村熊二が創設した明治女学校は、明治一八（一八八五）年九月、九段下の牛ヶ窪の旧旗本屋敷を借りて、一〇月一五日に開校した。その後、校舎は、九段坂下の統計学校跡に移転。さらに現在の暁星学園のところに校舎を建てたが、三年で移転して、麹町区下六番町六番地に越してきた。現在、モンマルトルの画家といわれた藤田嗣治、作家の有島武郎、島崎藤村たちの旧住居があった通りを「麹町番町文人通り」と呼んでいて（新井巌『番町麹町「幻の文人町」を歩く』彩流社）、その通りに面したマンションの一画に、「明治女学校跡地」のプレートが立っている。

ここの校舎は、明治二九（一八九六）年の火事で類焼して、今度は、巣鴨の庚申塚の櫟林のなかに移転した。野上弥生子はこの櫟林の校舎で学んだ。番町時代の学校を文学的、巣鴨時代の学校を宗教的だったといっている。そこに「明治女学校跡」の石碑が立っている。明治女学校の発起人は、木村熊二、植村正久、田口卯吉、島田三郎、巖本善治らで、巖本を除いては、みな幕臣。教育方針は、木村のキリスト教精神が根底にはあったが、ミッションスクールとは違った、当時の西欧主義、いわゆる外国流の教育に偏向しない、女子教育を目指して創立されたものであった。学科は、英語、地理、歴史学、動物学、植物学、鉱物学、生理学、物理学、化学、数学、修身學、漢文学などと網羅している。

ただ、惜しいことに、火災などにも遭い、これだけの充実した教育を行っていた明治女学校は、明治四一（一九〇八）年一二月に閉校になった。しかもこの明治女学校の歴史は、かなり人的な錯綜があり、木村熊二と鐙子の明治女学校と巖本善治と若松賤子の明治女学校という構図が見て取られ、どちらかというと、巖本の明治女学校の方が有名だ。星野天知、北村透谷、島崎藤村、戸川秋骨など、後に日本文学史にその名を残した文学者が教壇に立ち、文芸趣味豊かな『女学雑誌』という雑誌を刊行して評判になった。相馬黒光（中村屋を創業）、大塚楠緒子（反戦的な詩「お百度詣で」の作者）、羽仁もと子（自由学園の創立者）、野上弥生子（小説家）などが学んだ。この明治女学校が、しばしば日本文壇史に登場している。

明治女学校を去った熊二は、長野県南佐久に私塾として小諸義塾を創設した。木村熊二の青年教育にかける思いは、熊二から高輪台町教会で受洗し、小諸義塾の教師をした島崎藤村（藤村の妻冬子は明治女学校の卒業生）が書き記しているように、「その全生涯を通じて私学に終始された」のであった。その私学とは、人格の重視と経済的自立を促す自由主義的教育であった。

渋沢栄一の私立学校支援

明治初期キリスト教と直接の関係はないが、「旧幕臣の教育ネットワーク」ということから見れば、女子教育のひとつに、共立女子職業学校（現・共立女子大）がある。設置願の名義は、山口県の士族服部一三（小泉八雲と親交があった文部官僚）だが、沼津兵学校の資業生で幕臣の系譜にあった宮川保全が中心となり、鳩山春子（鳩山一郎の母）、永井久一郎（永井荷風の父）、手島精一（沼津藩士の子、明治の教育家）などが設置者として名を連ねている。教科は、裁縫、編物、刺繍、飾帽、造花、園芸と良妻賢母の養成学校だ。皇室よりしばしばご下賜金があり、制作品の買い上げもあった。この創立にも渋沢栄一が財政援助をしている。

渋沢の私学教育支援といえば、渋沢の財政支援活動のなかでも特筆大書すべきものがある。これまで取り上げて来た商法講習所、工手学校などには多額の寄付を始め女子教育にも援助の手を差し伸べて、日本女子大学、東京女学館などへの支援している。渋沢の私立学校支援は、実業教育学校四十八校、女子教育学校二十七校、その他八十九校、合計百六十四校に及ぶという（島田昌和『渋沢栄一による私立学校の支援』文京学院大学・経営論集・二〇一二）。旧幕臣の心意気を見る思いがする。

第七章　帝国四大私塾（慶応義塾・同志社・攻玉社・同人社）

『近世日本哲学史』

政治学者の丸山真男は『国家学会雑誌』で麻生義輝の『近世日本哲学史』（近藤書店）を「日本の啓蒙哲学の形成を学問的に取り扱った殆ど唯一のモノグラフィーとして永く学界に銘記さるべき労作」（「麻生義輝「近世日本哲学史」（昭和十七年）を読む──日本哲学はいかに「欧化」されたか」昭和一七・一二月号）と評価した。

麻生はその著書の「啓蒙思想の展開」で、静岡学問所や沼津兵学校を始め、福沢諭吉の慶應義塾、尺振八の「共立學舎」、中村正直の「同人社」、鳴門義民の「鳴門塾」、石田英洲の「共勵學舎」、箕作秋坪の「三汊學舎」、近藤真琴の「攻玉社」、佐野鼎の「共立學校」などを取り上げ、これらの私塾を創立した人物は、「下級武士の出身であった」と、旧幕臣の系譜に連なる人物が多かったと示唆している。

この麻生の指摘は、旧幕臣たちが「教育」こそがこの国の将来にとって大事なことだと痛感していたことを暗示している。とくに官立学校のなし得ない、奉仕の精神を唱導する宗教教育、自主独立、個人の尊重という社会的使命を帯びた私学教育は、この国の将来を方向づける重大な役割を担っている。これから訪問する「帝国四代私塾」は、何れも濃淡はあるが、「敗れし者の闘い」なのである。

ところで、帝国教育会が命名した帝国四大私塾のうちで現在存命なのは、慶應義塾と攻玉社と同志社で、同人社はすでにない。この四私塾のうち、福沢諭吉の慶応義塾と中村正直の同人社は、旧幕臣の系譜だ。そして、新島襄の同志社と近藤真琴の攻玉社は、それぞれのところで説明するが幕臣圏内だと考えられる。

帝国教育会というのは、明治一六（一八八三）年に成立した大日本教育会を母体として明治二九（一八九六）年に発足した教育者団体で、日本の教育の普及改善などを目的として活動した。帝国教育会は、教育に功労のあった人物や学校を顕彰した。工業教育に貢献したとして工手学校が表彰されている。

この帝国四大私塾のうち、東の慶應義塾と西の同志社は、改めて取り上げるまでもないだろうが、かといって、通り過ぎる訳にもいかない。

福澤諭吉の慶応義塾

幕府に出仕して欧米各地を視察した福沢諭吉は、西欧文化を摂取する時代的状況が蘭学から英学へと推移することを敏感に察知した。その動機は案外単純だ。その単純な動機から、世界の趨勢をキャッチして自己対応していくところが、福沢の福沢たる所以かもしれない。『福翁自伝』（岩波文庫）によれば、横浜見物に出掛けた福沢が、オランダ語で話しかけてみたが通じない。店の看板も読めない。どうもこれは英語かフランス語のようだ。死物狂いになってオランダの書を読むことを勉強した、その勉強したものが、今は何にもならないのだ。落胆した福沢は、今度は一念発起して、英語を学んだという。

そして、安政五（一八五八）年に創設した蘭学塾を英学塾に変更し、慶応四（一八六八）年に慶応義塾と改名した。この「義塾」という言葉をつけたのは理由があった。それを飯田鼎著の『福沢諭吉』（中公新書）を借りて説明するとこうだ。

福沢が書いた「慶應義塾之記」というのがある。そのなかで、自分が創る学校は、イギリスの「共立学校の制」に倣ったもので、創立の年号を取って慶應義塾と名付けたといっている。この「共立学校の制」というのは、イギリスのパブリック・スクールを指していて、その歴史は、「国家公共の目的のために設立され、法律的に一定の基本金の下に設けられた公共団体によって運営されている私立学校」で、この私立学校に、「中国伝来の「義塾」に英国の私立学校の内容を盛った」のが、慶應義塾だと飯田は説明している。つまり、慶応義塾の源流は、イギリスのパブリック・

スクールに発するということだ。この共立学校の発想が、のちに登場する尺振八の共立学舎に影響をあたえることになる。

現在では慶応といえば「三田」となるが、蘭学塾を創設した場所は、築地鉄砲洲の中津藩の屋敷内であった。近代日本の濫觴の地といわれる築地居留地といった方がわかりやすいかもしれない。そこが慶応義塾の発祥の地とされている。そこに「安政五年福沢諭吉この地に学塾を開く」という記念碑があり、その記念碑は机を象った黒御影石台座の上に書物を開いた形の石碑に「学問のすすめ」の巻頭言「天ハ人ノ上ニ人ヲ造ラズ、人ノ下ニ人ヲ造ラズ」が彫ってある。

蘭学事始めは、慶長五（一六〇〇）年、オランダのデ・リーフデ号が豊後に漂着したことが切っ掛けとなった。その船がもたらした西洋の医学、天文学、暦学、地理学などの自然科学や軍事技術などが、日本が吸収した「西洋の知識」となった。福沢諭吉はこの蘭学を学んだ。彼の合理的思考方法は、この蘭学からきている。

この蘭学とはやや意味合いが違う「洋学」というカテゴリーがある。厳密な意味からいえば、洋学は、蘭学と区別して、幕末にオランダ以外の西欧諸国との交易が始まった以降の西洋学術を指している。福沢諭吉の「横浜体験」が示すように時代は動いて、その西洋の知識が英語を主流とした「洋学」となった。

その洋学の基本言語である英語を主体に、慶應義塾は、学科を英学、数学、漢学の三科とし、本科と予科に分けて、卒業年限は五ヵ年とした。学課目は次の通り。予科＝化学、万国史、英語学、究理、文典、地理、人身究理、博物学、英国史、地質学。本科＝万国公法、英国政体論、自由論、三角術、代議政体、心身論、経済論、法律原論、文明史、三角術、幾何、代数、簿記。

「英語学」、「英国史」、「英国政体論」などが配置され、予科の科目にある「人身究理」は今日の生理学。本科の「心身論」は、トマス・ペインの教科書を使っているから、人間の権利問題を講義したものと思われる。また、「自由論」や「代議政体」は、ジョン・スチアート・ミルの著書を教科書として使っている。この科目を見るだけでも、福沢が「蘭学」を捨てて、近代欧米文化の「洋学」を摂取しに急務だったことが窺われ、ここから「敢為の精神」の慶應義塾に充実、発展して行く。

福沢の英米文化の吸収は、かなり徹底していて、義塾はキリスト教とは直接関係はないが、先に述べた原女学校の原胤昭に洗礼を授けた宣教師カロザースが教壇に立っている。それは福沢が外国人教師によって英語による学科の教授を組み入れて、塾生ばかりでなく、教師にも英語を教えることを考えたからであった。キリスト教の教科はなかったが、カロザースは、授業の前に、宗教に関する問答があったりして、洗礼を勧めたという。福沢は多分、塾生たちが「西欧の気」にふれることも勉強と思って、カロザースの宣教活動を承知して雇っていたのだろう。

新島襄が明治一七（一八八四）年にボストンから送った、妻八重子宛の手紙のなかで、「福沢先生の如き人物には、近来流行の基督教贔屓の論を吐かるゝよし。実に日本の事は進歩と申すか、将又変化と申してよろしきか、私の日本を去りしより、宗教上此の如き大変革ありしは、実に驚くばかりなり」（『新島襄書簡集』・岩波文庫）と言っている。

この慶應塾で学んだ者は人材多彩で、紹介するとなると慶応義塾人名事典が出来そうなので割愛するが、これまで述べてきた学校の関係者を拾うと、商法講習所の成瀬隆蔵、工手学校では初代管理長の渡邊洪基、同じく二九歳の若さで工手学校の初代校長に就任した中村貞吉、創立委員の藤本寿吉などがいる。藤本は、福沢諭吉の従兄弟の藤本元岱の次男で、工部大学校で造家学を学び、慶應義塾の「れんが講堂」を設計している。

ここで福沢の関係から閑談を挟む。工手学校初代校長で三七歳の若さで長逝した、中村貞吉の話をしようかと思う。中村は工部大学校で「舎密（化学）」を学んだ。その後、イギリスに留学。帰国して福沢諭吉の長女里と結婚する。そして、二九歳の若さで工手学校校長に就任した。一説によると、工手学校校長には、工部大学長などを歴任したあの大島圭介が候補だったらしい。旧幕臣という人事から行けば妥当のように思える。ところが、二九歳の無名の青年中村貞吉に白羽が当たった。ここで思いつくのが「閨閥」だ。中村の妻は、福沢諭吉の長女里。管理長の渡邊洪基は諭吉門下生。それに工手学校創立委員の藤本寿吉の叔父が諭吉だ。この相関図から見れば、大物の大島圭介を押しのける閨閥の力は有効であったろうと推察する。

さて、福沢の教育論と学問論については、解説百千だろうが一瞥しておく。教育論は、単純明快だ。「教育の目的は、人生を発達して極度に導くにあり。そのこれを導くは何のためにするやと尋ぬれば、人類をして至大の幸福を得せしめんがためなり。」と言い、至大の幸福とは、福沢諭吉が得意とする平談俗語で、「天下泰平、家内安全これなり」と言っている。

そして、学問と政治とは、独立独行のものであって、両者はその持ち分をわきまえて、学問と政治はまったくこれを分離して相互に混同してはならぬといっている。旧幕府時代の開成学校は盛んであったが、幕府が転覆すると、狼狽した生徒教員は四散して、学校は「空了」してしまった。これは、開成校が幕府政党に与していたからで、勤王だとか佐幕とかいって、学者の身分で政治に関与したからだという。学問が政治から独立していれば、槍が降ろうが、弾丸が飛ぼうが、書物を読んで学問の命脈を持続することが出来たのだといっている。確かにそうだろう。このような考えがあったからこそ、上野の山で新政府軍と朝敵とされる幕府軍(彰義隊)との戦いで砲声の轟くさなか、「上野ではどんどん鉄砲を打っている。私はその戦争の日も塾の課業を罷めない」と福澤は、粛々と義塾での勉強を続けた。

天保の老人

福沢諭吉は天保五（一八三四）年の生まれだ。「天保の老人」という陰口があって、頭が固くて文明開化に乗り遅れているのを揶揄したいい方であったという。徳富蘇峰（文久三年）が福沢諭吉に向かって、説教臭い口吻をあげつらって言ったともいわれている。夏目漱石も時代遅れの旧世代を「天保調」と言った。

試みに、この本に登場する天保生まれの人物を拾うと存外多い。生まれた順に挙げると以下のようになる（括弧内は天保の生年）。近藤真琴（二年）、中村正直（三年）、榎本武揚（七年）、津田仙（八年）、尺振八（一〇年）、渋沢栄一（一一年）、江原素六（一三年）、長谷川泰（一三年）、新島襄（一四年）。沼津兵学校の教師では、大築尚志、塚本明毅、田辺太一、赤松則良、中根淑、乙骨太郎乙などはいずれも天保生まれだ。こう見ると、この人物たちが時代遅れの頑迷固陋とも思えない。

もっとも、いつの時代にも世代間の落差意識はあって、大正世代から見れば明治世代は時代色が露出し過ぎていやみになり、昭和世代から見れば大正世代は教養主義がちらついて、こうるさいとなる。昭和だって、戦争、空襲、疎開という実体験のあるなしによって、昭和一桁生まれと二桁生まれとの違いを強調する向きもある。つい最近では、団塊の世代論があった。だけど、「天保の老人」という物言いは、激動の明治維新前後を境とする、何か特殊な世代論があるように思える。「天保の老人」というテーマは面白そうだが、ここでは長居しないことにして先へ進む。

中津藩の出である福沢諭吉は譜代の幕臣ではない。いわば徳川幕府のお雇い知識人といった開明派の「幕臣」だったから、幕府に出仕するころ暗殺の危険を感じていた時期が何度かあったらしい。その福沢は、明治新政府の高官となった幕臣の勝海舟と榎本武揚に「痩せ我慢の説」（「時事新報」明治三四・一・二）を書いて、「忠臣は二君に仕えず」と武士的エトスを堅持すべきだと非議した。そうかと思えば、新政府に楯を突いた西郷隆盛に対しては、「明治十年丁丑公論」の緒言で「世界に専政の行はるる間は之に対する抵抗の精神を要す」と言って、専政権力に対する西郷の抵抗精神を称えた。また一方、韓国の親日派クーデターに関与して失敗し脱亜入欧の説を立てた「脱亜論」を書いて悪評を呼んだとされている。

門外漢が口出しする事ではないが、書いたのは福沢の祐筆石河幹明説もあるらしいが、福沢諭吉が執筆されたとされる「脱亜論」、とくにアジア蔑視に連動すると思われている「脱亜入欧」論については、福沢の思想的基軸、ひいては開明的で欧化主義の福沢諭吉の実像の是非を論じることになるらしく、政治学者の丸山眞男を始め多くの政治学者や歴史家が、この問題を論じている。洋服三つ揃いの福沢か、和服着流しの福沢かは、後にも少し触れるが、興味のある問題ではある。

それはともかく、福沢は、旧幕臣メンバーが中心になって結成し、自らも参加した「明六社」が刊行している『明六雑誌』の編集に疑義を挟んだ。それは、明治八(一八七五)年に出た、「新聞紙条例」や「讒謗律」に対応して、言論の自由が束縛され、節を屈して政府のイデオローグになることを嫌って、雑誌の廃刊を提議したのである。これは、先に紹介した学問と政治の分離という態度の表明であった。

また、福沢にいわせれば、「公共の目的のために、法律的な基本金をもとに、公共団体によって運営される」のがパブリック・スクールだから、その思想に準拠して創立した、慶應義塾の台所が思わしくなくなったとき、尺振八の共立学舎、箕作秋坪の三汊塾(両塾については後に述べる)とともに、「私塾維持金之為資本拝借之願」を政府に出したのは、当然のなりゆきであったろう。今日でいう、私立学校国庫補助金の走りだ。しかし、この政府への交渉は不調に終わったようだ。

パブリック・スクールの理念からすれば政府への助成申請も筋が通っているとはいうものの、官尊民卑の風潮に抵抗し、不偏不党、独立自尊、自力主義をモットーとした福沢にしてみれば、紐付きの借財を政府に申し込むのは「痩せ我慢」の心情からすると潔しとしないのが彼の矜持だと思わないでもない。済生学舎の長谷川泰は、「藩閥の徒に低頭して私立の医学校を持続せんとする馬鹿者ありや」という啖呵を切った、この野党精神を思い出す。

しかし、福沢は官製アカデミーの東京学士会院の初代会長に就任するという一面があり、その態度にも振幅があった。洋服を着て慶應義塾内に「衣服仕立局」を開いて洋服の普及につとめた福沢も、晩年には和服を愛用して、辛めの味噌汁を好んで飲んだというから、これが激動期に奮闘的生涯を送った生き様の難しさだろう。

新島襄の同志社

新島襄は、天保一四（一八四三）年、江戸城一ツ橋門外安中藩邸で生まれた。神田で生まれの江戸っ子だ。一七歳のとき、数学研究のため幕府の軍艦操練所に通い、江戸湾に浮かぶオランダの軍艦を見て強い衝撃を受けた。この頃から新島の視線は外（海外）に向けられていたように思われる。

元治元（一八六四）年、その海外への視線は、脱藩という方法によって具体化した。脱藩は、藩籍から離脱して浪人になることである。それは保障された武士の身分を捨てることであった。藩のしがらみ、国家のしがらみを脱ぎ捨てて、一個の自由人として立つことである。このときすでに彼はグローバルな視点に立っていた。それをたとえば、キリスト教への接し方から見てもわかる。漢訳聖書から「天父」の文字を見いだし、渡航先の香港で、漢訳聖書を購入して、「初めにことばがあった。ことばは神と共にあった」で始まる「ヨハネ伝」に感動しているのだ。そして、渡航したアメリカの神学校で学び、キリスト教に帰依して受洗した。この海外留学の精神生活を携えて、キリスト教による学校を日本で設立しようと新島は考えていた。新島襄は、明治一六（一八八三）年四月に頒布した「同志社設立の始末」で学校設立の趣意を次のようにいっている（口語訳は、『新島襄書簡集』岩波文庫）。

およそ、いずれの国であろうとも、いやしくも、まことの正しい文化を盛んにおこそうと思うならば、よろしく、まず人の知識を開発しなければならない。また、社会の安寧をたもちたいと願うならば、必ずそれは、まことの正しい教育によらなければならない。現在、わが祖国においては、戊辰の兵乱があってからのち、これまでの悪い習慣をすて去り、封建の迷夢をさまして、明治の新しい政治を行なおうとするに際し、社会の秩序はやぶれ、国の法令はみだれ、人心はその向うべきところが、わからない有様である。そこで、今日のわが日本に、まことの正しい教育事業をおこし、これによって、国家を治める一大根本をたてるとともに、これによって、知識を開発し、まことの文化を盛んにしようとおもうならば、それはよろしく欧米文化の一大根本となっているところの教育にこそ、力を注がなければならない。

明治七（一八七四）年に帰国した新島は、木戸孝允や勝海舟の援助により、京都に学校を設立する許可を得た。京都という土地柄もあって、キリスト教主義の学校を建てることに仏教界の強い反対があった。しかし、会津藩出身の京都府顧問山本覚馬の便宜があって、準宣教師新島襄、会津藩の山本覚馬、それに、アメリカン・ボード派の宣教師Ｊ・Ｄ・デーヴィスの三者の協同によって、「私学開業願」を京都府に提出した。

明治八（一八七五）年一一月に同志社英語学校を仮校舎で開校。京都府に校内では聖書を教えないことを約束されたという。しかし、新島襄の言う「まことの正しい教育事業」は、旧幕臣たちの教育に対する思いと同じであったろう。

欧米の文化に通暁していた新島は、森有礼や田中不二麻呂から官途に就くことを懇請されたが、あくまでも、私立学校の設立を自分の使命として耳をかさなかったという。そして、籍を安中から京都に移して士族の特権を捨てて、「洛陽之一平民」となって申請したのであった。相国寺の近くに貧弱ではあったが宿舎つきの学校を建てた。これがわずか生徒八名で開塾した同志社の発祥である。

新島が志半ばで倒れてから一一年後の、明治三五（一九〇二）年現在の同志社の案内を見ると、以下のようになっている。同志社普通学校、同志社高等学部文科学校、同政法学校、同波理須理科学校、同志社神学校、同志社女学校、同志社看護婦学校。この中にある同志社波理須理科学校は、同志社大学工学部の前身校である。

この学校設立構成を見ると、一貫教育、総合教育の基礎固めは進んでいる。新島の抱いた教育理念は、キリスト教主義を徳目とする高度な学芸を教授する私立学校を設立することであったから、新島の遺志を継いだ後継者たちの努力は、その前段階に来ていたといえるだろう。ただ、新島没後の同志社は、内部対立などがあって苦難の道を歩んだ。そして、戦時中は、天皇制イデオロギーをめぐる正統と異端というドグマのなかで、キリスト教主義を標榜する学校は受難の時代を送った。

新島は、会津藩出身の妻八重子の勧めもあったのだろうか、東北地方に伝導している。その東北の仙台に、新島は同志社の分校と自身が認識している東華学校（宮城英語学校）を創設した。しかし、この学校の創設には、乙骨太郎乙の義兄、後に日本銀行総裁となった同地出身の富田鐵之助が深く関与している。ということもあって、学校の設立過程には、この両者の関わり方に後世史家のいくつかの解釈がある（太田雅夫「東華学校の設立と閉校」・『新島襄とその周辺』青山社）。

ともかく、新島襄が初代校長を務めた東華学校は、明治二五（一八九二）年に廃校となった。現在、宮城県のＪＲ仙台ビルの入口前の東華学校跡地に、中村敬宇の「修實徳勿求虚榮」という題辞と共に徳富蘇峰の撰文による東華学校の発足の趣意を書き記した碑文のある「東華學校遺址碑」が建っている。

なお、この東華学校に学んだ人物には、『河北新報』の創立者、一力健次郎、劇作家の真山青果がいる。

山本覚馬と八重子

同志社に学んだ人物を特化すると、新島襄の精神を受け継いだ、キリスト教の指導者と社会改良家の二つに分かれるようだ。同志社英語学校第一回卒業生の海老名弾正、横井時雄、金森通倫などは、いずれも明治・大正期の日本のキリスト教の指導的立場にあった。そして、社会改良家としては、同志社から「戦時中に石もて追われ」、戦後に和解した社会主義者の山川均。キリスト教社会主義者の村井知至や安倍磯雄がいる。比較宗教学の岩本能武太もそうだ。岩本は片山潜、幸徳秋水らと社会主義研究を組織している。こんなことから、同志社が日本社会主義の源流のひとつともいわれているのだ。これらの人物が同志社を代表するという訳ではないが、やはりキリスト教を土壌とする進取果敢の気は、揺るぎない地歩を築いて、新島襄の精神を受け継いでいると言えるだろう。

徳富蘇峰、徳冨蘆花兄弟も同志社との縁が深い。若い蘇峰が新島から離れる時期があったが、新島信仰によって同志社に学び、キリスト教に近づいたのであった。蘆花は、山本覚馬の妹との恋愛事件などもあって、入退学を繰り返したという。

ところで、新島の良き理解者であった会津藩出身の山本覚馬は、禁門の変で砲兵隊の指揮を取ったが、鳥羽伏見の戦いで捕らえられ、危うく刑死の危機に遭うところだった。しかし、覚馬を知る人がいて薩摩屋敷に幽閉される身となった。眼疾からの失明と脊髄の損傷で苦渋するが、そのなかで日本の国際社会における指針を述べた「管見」と題する建白書を書き、それが認められて釈放された。

その山本覚馬は、アメリカン・ボード派の宣教医M・L・ゴードンから『天道溯源』を贈られ、「群疑ハ一度此書ヲ読デ全ク氷解シタ」ことを切っ掛けにキリスト教に強い関心を抱き、その後に同志社教会のD・C・グリーンから受洗した（『日本キリスト教歴史大事典』教文館）。山本のこの受洗は新島との強い絆となったと言えよう。

明治五（一八七二）年、京都府が新英学校女紅場を開設されたが、そこに山本の妹八重子、会津藩の蘆田鳴尾が舎監兼教員をしていたことから、「才女ハ猶ホ学バスベシ」と女性の英才教育に関心をもっていた山本が、この開設に関与しているのではないかという説がある（『同志社山脈―113人のプロフィール』・同志社山脈編集委員会）。とすれば、この山本の教育観が、新島の同志社設立に働いたことは間違いないだろう。

ちなみに、女紅場とは女子に手芸、裁縫などを教える女子教育機関である。「女紅（功）」とは、手芸、裁縫、機織を意味する言葉だ。

その山本の妹八重子と新島は結婚する。八重子は戊辰戦争のとき、男装をして会津の大砲隊に参加するという女丈夫であった。しかし、兄覚馬は、維新後に取り沙汰される薩長対旧幕臣という構図に拘泥していなかったという。その影響を受けていた新島ではあったが、母とみに対して、「おまえ様には武士の妻にあられ候」といい、最も薩長と敵対した会津藩の女丈夫と縁を結ぶというのは、「洛陽之一平民」となった新島襄の言動には、幕府海軍伝習所に身を置いた素性意識を思わせるものがある。京都の若王子にある新島の墓碑銘は、幕臣の勝海舟が揮毫したものである。

また、安中市安中にある安中教会（日本基督教団）は、外国人宣教師によらない、日本人伝導士、新島襄によって設立された教会であり、新島襄昇天三〇年を記念して献堂された新島襄記念会堂にもなっている。

近藤真琴の攻玉社（舎）

明治の教育家といえば、福沢諭吉が横綱格だろう。それに次ぐ者として同志社の新島襄がいる。そして、ここでは「帝国四大私塾」にランク入りした、海員教育の近藤真琴の攻玉社、英学教育の中村正直の同人社を取り上げる。

近藤真琴は、天保二（一八三一）年、江戸麹町の鳥羽藩邸で生まれた。四歳のとき父を失い、母の手で育てられた。母は湖山と号して、漢詩文に素養があり、近藤はその母から論語、大学を教えられた。二四歳のとき、時事に感ずるところがあって、蘭学を学んだ。福沢諭吉と同じようなケースだ。そして、岸和田の医官高松譲庵について、和蘭陀文典と究理書を学び、その後、村田蔵六（大村益次郎）の塾に通って、オランダの兵書を勉強した。さらに、近藤は、軍艦奉行の幕臣矢田堀景蔵の塾に入り、同塾にいた幕臣荒井郁之助に師事して蘭式航海測量などを学んでいる。戊辰戦争の時、江原素六が政府軍に追われて自刃しようと覚悟を決めた際、近藤真琴が早まることなく、今は忍従せよと諌めた話は前に書いた。

志摩鳥羽藩の第六代藩主の稲垣長明は、鳥羽・伏見の戦いでは、薩長と戦う佐幕派であった。しかし、その後、稲垣長明が新政府に恭順の意思を伝えたということがあった。それかあらぬか、近藤は、新政府軍に加担することはなかったが、時勢の趨勢を見極めて、冷静沈着な立場をとった。江原素六の自刃を思い留めさせたのもそうだが、村田蔵六が上野の彰義隊を攻めた日も、オランダ語の師に従う訳でもなく、砲声を遠くに聞きながら、近藤は航海術を講義していたという。

文久三（一八六三）年に蘭学塾を四谷坂町鳥羽藩邸内に開いた近藤塾が、攻玉社の起源とされている。上野戦争のとき、幕臣の子弟が多かった近藤塾は、動揺した生徒が四散した。塾を閉鎖した近藤は、一時、鳥羽に帰省していたが、新政府の陸海軍充実政策によって設立された海軍兵学寮の海軍操練所出仕に就任した。これは、大村益次郎の引き立てによった。ということから見れば、近藤は旧幕臣（佐幕派）という立場からは距離を置き、国防という国家的観点に立っていたと思われる。

近藤が東京に帰ると、旧門人たちが四谷坂町の近藤を慕って集まって来たので、明治二（一八六九）年、「為錯塾」を開き、その後、兵部省の免許を得て、築地の海軍操練所官舎内に海軍予備教育の攻玉塾を開いた。そして、明治四（一八七一）年四月、福沢諭吉の斡旋で慶応義塾の跡地であった、芝新銭座町に移転して攻玉社となった。社名（校名）の攻玉とは、『詩経』の一節にある「他山の石以て玉を攻ぐべし」から取ったという。「攻」は「みがく」と読む。

海国の教育家といわれた近藤は、矢田堀景蔵や荒井邦之助から学んだ、航海術や測量学を攻玉社のカリキュラムを導入して、測量術、航海術などを教授する異色の学校を創り、海軍兵学校の準備校として実績を積んだ。海軍少佐となった小笠原長生は、はじめは学習院に入学したが、当時、小笠原の後見人であった伊庭想太郎が攻玉社への入学を勧めて、学習院を退学させたというエピソードがある。そして、商船黌（鳥羽商船分黌）、攻玉社附属陸地測量習練所、女子教場などを併設した。

開塾当初の学課目は、航海測量術、皇漢学、蘭英学、平算、代数学、平弧三角術であった。それが明治一八（一八八五）年当時の攻玉社の学科は、普通科と専修科と二科の編成に変わった。

普通科には、予科（修業年限四年）、本科（五年）、高等本科（三年）、女生予科（四年）、女生本科（四年）となっており、専修科には、数学科予科（一年）、数学科本科（三年）、土木科（二年）、商船科（当分欠く）となっている。商船科は休講していたらしい。学科目は、修身、和漢文、英語、算術、地理、歴史など平均的な授業を行っていて海軍兵学校の色彩は薄らいでおり、近代の学校教育へと転換している。

また、土木科というのは、工学教育の先駆けとして設けられたものであり、数学、土木学、測量、画、製図、英語などを教えている。

近藤は、開学当初、手工科を設けようと考えたらしい。スマイルズの『西国立志編』にある「工事労作の益」では、ニュートンやワットなどは、「まだ幼童の時に、手器を運用することに巧み」であったといっている。手器はノコギリやノミのことだ。近藤もスマイルズを読んでいたのだろう。しかし、生徒に武士の子が多く、小刀や錐などを持たせると、殺傷沙汰が起ると反対されて断念した。明治六（一八七三）年頃の話だから、まだ、武士は腰に刀を差していた。廃刀令が出たのは明治九（一八八〇）年。まだまだ、幕末の危うい気配が漂っていたのだろうか。

後に近藤は国語学者として漢字の煩雑さを避け、かな書きの普及に努め、著書に『ことばのその』（瑞穂屋卯三郎）がある。外山ゝ山の漢字廃止論が思い出される。また、近藤は、数学者としても知られており、専修科に数学科予科、数学科本科があったように、「数学の攻玉社、攻玉社の数学」と喧伝された時代があった。『数学報知』（明治二三年創刊）という数学雑誌を刊行している。

国史ニ心ヲ用イル

攻玉社に学んだ人物は、学校の設立事情からいって海軍軍人が多い。代表的な人物では、太平洋戦争の終戦工作に奔走した、第四二代総理大臣になった鈴木貫太郎がいる。政治家では、伊藤博文内閣の逓相末松謙澄、原敬内閣当時の幹事長望月圭介がいる。その他に、異色な人物として、『日本風景論』を書いた地理学者の志賀重昂、社会主義者の片山潜、夏目漱石門下の作家森田草平、歌人の吉井勇も攻玉社中学校で学んでいる。山路愛山のところでちょっとふれた、森鷗外の「渋江抽斎」に登場する渋江保が攻玉舎の教師をしていたことがある。「午前に慶應義塾に往き、午後に攻玉舎に往くことにした。攻玉舎は、舎長が近藤真琴、幹事が藤田潜で、生徒中には後に海軍少尉に至った秀嶋某、海軍大佐に至った笠間直等があった」とある。

明治五（一八七二）年の攻玉（塾）舎の「開学願書」の第一条には、建学の精神が掲げられ、「凡テ外国ノ学ヲ志ス者ハ先ズ本国事情ヲ詳密ニ了解シ相比較シテ所長ニ取リ国力進歩ノ補助トシ我威武以テ軽侮ヲ防ギ文明以テ信義ヲ立ツルヲ大主意トス故ニ当社ニアツテハ国史ニ心ヲ用ヒ怠慢アルベカラザル事」と謳っている。

外国のことを学ぶにあたっては自分の国のことを知らなければならないと言っているのだ。それが「先ズ本国事情ヲ詳密ニ了解」し、「国史ニ心ヲ用イル」ということだろう。

今日、国際社会とか国際化などというが、国際化の第一歩は、自国のこと日本を知ることだ。それは昔も今も変わりない。外国へ行って日本のことを聞かれたら知らないでは困る。日本建築界を代表する建築家、辰野金吾が明治初年に、イギリスに留学して、ゴチック様式建築の大家、W・バージェスに会ったとき、「お前の国にはきわめて古い優れた木造建築がたくさんあるそうだが、それについて話をしてくれ」と言われて辰野は返答に窮して赤恥をかいたという（『明治・大正の学者たち』東京大学出版会）。そのころの辰野は西洋建築一辺倒であった。

明治時代の海国思想は、海防が主眼であった。たとえば、明治二七（一八九四）年に起こった日清戦争は、豊島沖海戦で日清両国の交戦が始まり、黄海の海戦で日本軍が勝利した。明治三七（一九〇四）年に起こった日露戦争も、仁川沖の旅順港のロシア艦隊を奇襲して戦端が開かれた。そして、対馬海峡で日露両艦隊が会戦し、ロシア艦隊は壊滅した。これを日本海海戦と呼んでいる。両戦争は海を舞台にした戦争であった。このように四囲を海に囲まれた日本列島の国防は、「海防」が優先課題であった。しかし、近藤真琴の海国思想には、万里の波涛を蹴って、通商貿易の門戸を開かねばならないとも考えていた。それを今日に引き寄せて解釈すれば、国際社会への進出を意味する。その基本的姿勢は、他を知るには、己を知らなければならない、となる。その歴史と伝統を継承しているのが現在の攻玉社学園である。

中村正直の同人社

中村正直（敬宇）は、天保三（一八三二）年、江戸麻布丹波谷に生まれた。幕臣の儒者である。幕府の英国留学生派遣に同行して、英国市民社会の実情をつぶさに体験して帰国。幕府瓦解後、先にふれたように静岡学問所の教授となった。

徳川亀之助（家達）の後を追って、中村正直が江戸を離れたのは、雨の日であった。「五更夢覚聞婦歎、雨又滴滴鳴簷端」で始まる漢詩を詠んだ。深夜に夢から覚めると、妻のすすり泣く声。軒端には、降る雨の音。二人の子供を起して、着物を着せ、この子らの初旅の険しさを思う。幕臣の悲哀を漢詩に託している。

明治三（一八七〇）年、静岡に隠遁した中村は、英国から持ち帰ったサミュエル・スマイルスの『セルフーヘルプ』の翻訳に専心していた。『西国立志編』である。この本は「明治の聖書」といわれた。ついで明治五（一八七二）年に、J・S・ミルの「自由論」も『自由之理』として翻訳した。この両書は、明治期のベストセラーとなった。とくに『西国立志編』は、努力して、忍耐すれば、人間は成功するという立志伝の実例を多く挙げて、立身出世を夢見る苦学生に多大な影響を与えた。

工手学校で学んだ多くの「苦学生」たちは、この本に啓発されて勉学に励んだ。国木田独歩の小説「非凡なる凡人」の主人公桂正作も、『西国立志編』を座右のバイブルとして、工手学校を卒業している。

また、作家星新一の『明治の人物誌』（新潮文庫）の巻頭に掲げられた「中村正直」では、父親の星一が、『西国立志編』に啓発されて、事業を興したことにふれつつ、中村の横顔を紹介している。中村と『西国立志編』の関係を分かり易く説明した好編だ。もうひとつあげれば、平川祐弘著『天ハ自ラ助クルモノヲ助クー中村正直と『西国立志編』―』（名古屋大学出版会）という研究書が刊行されている。

中村は、静岡に逼塞していたときから、向山黄村に宛てた手紙に「眼は新人新世界に冷たく、情は旧友や旧郷に親しむ」とあるように、薩長が支配する新時代に背を向け、『西国立志編』のテーマである独立、自主の精神に基づいた学問を普及することを幕臣の使命と考えていたに違いない。その考えを具体化したのが、明治六（一八七三）年二月に、東京江戸川に創設した私塾同人社である（同地に高札風入屋根型の「同人社跡」の案内板がある）。同人社の教育内容は、「英学普通学ヲ教授シ傍ラ和漢学数学ノ三学科ヲ教フル所トス」（下村泰大編『東京留学独案内』）とある。教師には、かつて彼が関係を持った静岡学問所や甲府の徽典館にいた人物を招いた。

学科は予科と本科。修業年限は三年。講義内容は次の通りである。括弧内は著者。

予科一等・万国史（バーレー）、万国史（ニュウセリース）、小文典（カッケンボス）、希臘史（スウエル）、英国史（マルカム）、羅馬史（グードルツオ）、大英国史（カッケンボス）。

予科二等・第一読本（ウイルソン）、大地理書（ミッチェルス）、第二読本（ウイルソン）、小文典（カッケンボス）。

本科の学科目は、福利学（ミル）、論理学（ミル）、自由之理（ミル）、宗教元論（ミル）、代議政体（ミル）、男女同権論（ミル）とさすがにミルの書いたものが多い。それから哲学原論（スペンサー）、平権論（スペンサー）、経世書（スペンサー）を使っている。その他に、代議政体史（ギゾー）、経済書（ペリー）、法律原論（テリー）、性理書（ベーン）教育論（スペンセル）、大修身書（ウエーランド）などだ。

福沢諭吉の慶応義塾と負けず劣らずの欧化主義がみなぎっている。


同人社を開校した、その翌年の明治七（一八七四）年一二月二五日のキリスト聖誕節に、中村は宣教師コクランから洗礼を受けた。カナダ・メゾジスト教会宣教師G・L・コクラン（一八三四〜一九〇二）は、明治六（一八七三）年に来日。横浜で伝道中に中村と知り合い、同人社に招かれて、同人社校内に住み、日曜日の説教や英語聖書の輪講などを行った。

また、明治一二（一八七九）年五月一日に麹町平河町達磨坂に分校を開いて、女子の入学を受け入れ、カナダの宣教師コクラン夫人に女学生の教育をゆだねて、同人社女学校となった。この同人社女学校の開校式には、勝海舟や津田仙とともに、ホイットニー・クララが出席している。クララは、後に勝海舟の三男梅太郎と結婚した。クララの父は、森有礼の商法講習所に招かれた、いわゆるお雇い外国人で、簿記学を講じた、W・C・ホイットニーである。このクララについては津田仙のところで登場してもらう。

同人社女学校の学科も同人社とほぼ同じで、男女平等論や代議政体史などを教えたのは画期的なことであり、女子への政治的啓蒙に貢献したとの評価がある。

このような先進的な女子教育にたいして、福沢諭吉は、今日の女子教育は西洋の文明法を主眼として、日本女子の固有の美風をおざなりにしている。女子に学問させるのはいいが、大事なことは、裁縫を教えること、「衣装裁縫の一事」だといっている。針仕事もできず、着物は仕立屋に任せて、編み物などをやっていてはだめだという。こういう福沢の発言が「天保の老人」となるのかもしれない。

それにしても、明治初期の女子教育は、「工」、「商」の教育が不遇であったように、不遇であった。国の教育方針は、「邑に不学の戸なく家に不学の人なからしめん事を期す」などと唱ってはいたが、女子教育の意識のおおむねは、原胤昭のところでもふれたが、琴三弦歌舞の習い事と生け花、習字といったていどのものであった。中村の女子教育はこのような趨勢を憂えたのだ。なお、東京における女子教育を検証した『東京の女子教育』（都史紀要九　東京都）がある。

中村正直は、近代学校教育の歴史にしばしば登場する。静岡学問所の漢学の教授となり、工手学校の渡邊洪基が関与した興亜会（興亜中学校）の会合で漢詩を朗読している。そして、榎本武揚の私立育英黌の教員組織に名を連ね、日本最初の女子教育をしたとされる、横浜の共立女学校を積極的に支援している。また、本郷のお茶の水に東京女子師範学校が創立されたときの校長は小杉恒太郎であったが、そのすぐ後に、「摂理」（校長）となったのが中村正直であった。

そしてこんな話もある。新島襄が同志社大学を創ろうとしたとき、江戸川町の同人社に中村を訪ねて協力を仰ぎ、さらに、大学設立について有力者への紹介を依頼した手紙を出している。福沢諭吉は「三田の聖人」といわれたが、中村正直も「江戸川の聖人」といわれてかなりの影響力をもっていた。

話は変わるが、この学校でクリスマスのお祝いが開かれた。コクラン先生が生徒ひとりひとりの名前を呼んで、プレゼントを渡す。みな呼びすてだったが、徳川家公達だけは、「トクガワサマー」と一句一句区切って、妙なアクセントで、サマづけで呼んだという。まだまだ徳川家健在であった。

擬泰西人上書

同人社にはどんな人物が学んだだろうか。明治女学校の巌本善治、江戸っ子ジャーナリストの長谷川如是閑、気骨のジャーナリスト池辺三山などがいる。もっとも善治は途中で津田仙の学農社農学校へ行き、如是閑は落第して東京法学院（中央大学）を卒業した。三山は慶応義塾に鞍替えしている。銀行家というより、徳冨蘆花の小説「不如帰」川島武夫のモデルとされる三島弥太郎も同人社で学び、近藤真琴の攻玉社にも通った。

やや異色といえる作家で、『仏国革命起源　西洋血潮小暴風』という翻案ものを書いて、一時期、東洋のユウゴオとよばれた桜田百衛。二人の娘が、社会主義者の堺利彦や大杉栄の妻になった、文人の堀紫山も同人社で学んでいる。

この同人社から明治九（一八七六）年七月に『同人社文学雑誌』という機関誌が

創刊されている。基本的には、同人社生徒の文学会の筆記を主としたもので、西洋思想を紹介するというのが編集方針であった。「文学」という語を最初に使った雑誌であったが、当時の文学は人文学一般を指したから、漢詩文などもあり、文学雑誌というより文化雑誌の性格が強い。明治一六(一八八三)年五月で廃刊したらしい。

儒学からが英学に転向した中村ではあったが、漢学擁護の立場にあった。「漢学ノ基アル者ハ洋学ニ進ミ非常ノ効力ヲ顕ハス」(「漢学不可廃論」)と言っている。だから、同人社は、和漢学も教えた。明治文化研究家の篠田鉱造によると、同人社は漢学塾だ。明治の漢学塾を幾つか挙げているなかに同人社も入っている。三島中洲の「二松学舎」、杉浦重剛の「称好塾」向山黄村の「黄村塾」。そして、「小石川江戸川べりの、中村敬宇先生の「同人社」で、下宿屋のような大一棟の宿舎が、往還に面して、江戸川に望んでいました」(『明治百話』岩波文庫)と検証している。

同人社の「漢学課業表」には、孝経、四書、五経、十八史略、皇朝史略、蒙求、日本外史、孟子、元明史略、左伝、史記、論語、大学、中庸、詩経、諸子、八大家

文と漢学の科目が網羅的にあり、それぞれ講義と輪講が課せられている。さすがに、儒者中村敬宇の私塾という趣がある。このなかで、「蒙求（もうぎゅう）」というのは、中国版「西国立志編」風で、偉業をなした人物の逸話が数多く収められ、漢文、歴史、故事、教訓を学ぶための初心者向けの教科書として使われた。また、有名人の言行を四字句にしたものなども収録されて、「孟母三遷」とか「孫楚漱石」（夏目漱石の号の由来）というのが掲載されている（サイト京都大学図書館）。

中世に官僚を教育する大学の寄宿舎であった勧学院に来る雀は、「蒙求、蒙求」と囀るといわれるほどに、「蒙求」は良く読まれた。ついでにいえば、三島中洲の二松学舎の庭に来る雀は、「論語、論語」と囀ったという。

中村は、儒者が耶蘇になって欧化を唱導したといわれた。

深町正親が、キリスト教の天の父なる神という発想は、「道の本源は天より出ず」という陽明学の考えに共通するものがあり、キリスト教を受容したサムライたちも、始めは儒教的倫理観から共感したのではないかという見方をしている。陽明学の佐藤一斎の門下であった中村のキリスト教は、この陽明学を基底とした、武士的、東洋的教養に裏打ちされた「サムライの基督教」であったといえるかもしれない。

中村の性格は温厚であったらしいが、結構大胆なところもあった。まだキリシタン禁制のころ、「擬泰西人上書」（泰西人の上書に擬す）と、ある西洋人の発言という匿名形式をとって、天皇に対して次のようなことを言っている。

陛下もし、果たして西教を立てんと欲せば、則ち宜しく先ず自ら洗礼を受け、自ら教会の主と為りて億兆を唱率すべし。若し果然此を行はば、則ち今より以後西国君主の陛下を敬愛する者如何ぞや。西国人民の陛下を祝福する者如何ぞや。当に欣々然として相語って曰ふべし。亜細亜は概ね上帝道理を知らず、日本独り之を重んずるを知る。豈に東方の欧羅巴に非ずや。日本、亜細亜第一富国の国と為んこと、豈目を刮て待つ可からざらんやと（小澤三郎『日本プロテスタント史研究』東海大学出版会）。

これは宗教論というよりは、西教（キリスト教）導入により、日本がアジアの盟主となるという政治論に近い。基督教禁教の高札がまだあった頃だから、大胆と言えば大胆な発言だ。

天文一八（一五四九）年に伝来したキリスト教は、布教にともなう領土侵略を恐れた豊臣政権と江戸幕府は、キリシタンを排除する政策をとったが、オランダ、ポルトガルとの貿易の窓口は開いていた。ところが、ポルトガル船をめぐる賄賂事件をきっかけに、慶長一七（一六一二）年に、キリスト教全面禁教に踏み切って、いわゆる伴天連弾圧が始まり、明治六（一八七三）年に、明治政府がキリスタン禁制の高札を撤去するまで、弾圧は続いた。こういう歴史的背景のなかでの中村の発言であったわけだ。

同人社は、慶応義塾、攻玉社とともに東京の三大義塾といわれるほどに盛況であったが、鹿鳴館の舞踏会などの欧化主義への非難が高まるなか、官公立の学校のように徴兵制度の猶予もなく、中村の著書の印税を主な基金とする同人社の経営は困難となった。

私学（私塾）は、原則として、授業料（明治期は束脩といった）と寄付によって成り立っている。それは、砂上楼閣の危うさを胚胎している。志が高くとも、それを支える経済的条件が不足すると立ち至らなくなってくる。同人社もその例外ではなかった。結局、杉浦重剛の東京英語学校に校務を委ね、学校の性格は、官立学校の予備校となって、明治二二（一八八九）年九月、同人社は中村の名声のようには長続きせず、その歴史を閉じた。

ついでにいえば、「敬天愛人」と言う金言は、西郷隆盛の専売特許のように伝わっている。上野の山にある西郷さんの銅像の説明板にも、大きく「敬天愛人」と彫ってある。しかし、この「敬天愛人」は、中村正直が言ったもので、沢田鈴蔵、増村宏の両氏による、「中村正直の敬天愛人」（鹿児島大学『鹿大史学』第19号）という中村正直説の実証的論考がある。

また、中村は幕臣の立場から、官僚批判の筆を執っている。そのことについては、「中村敬宇の官僚批判—醇儒の魅力」（池澤一郎『文学』5巻1号・岩波書店）という、漢学を排して西洋思想を導入した福沢諭吉と儒教を保持しつつ西洋思想を容認した中村との比較にも言及した論考に詳しい。

第八章　三汊学舎と共慣義塾

箕作秋坪

南部利恭

国防の英学、興国の英学

英文学者の福原麟太郎は、幕末、明治の英学のありようを『暗厄利亜語林大成』という辞書が、一冊は長崎市役所、一冊は水戸の彰考館、一冊は東京大槻家に残されているという分布から、「英学は、外交通商の為に長崎で始まり、それは、やがて水戸に移ったが、ここでは明らかに国防軍備のために用意された。そしてそれが江戸に転ずると、英学は文明開化の学として奨励されたのである。江戸に於ける英学の流行は、明治五年にその頂点に達する」（『日本の英学』生活社）と言っている。

これをもう少し整理していえば、厳密な時代区分はしばらく措くとして、「英学」には、江戸時代前期の英学と江戸時代後期・明治時代の英学があったということになるのだろうか。時代によって、学問の意味づけが違ってくるのだ。そして、江戸時代前期の英学は、福原もいうように、それは国防、国を守るための学問であった。

文化五（一八〇八）年にフェートン号事件というのがあった。イギリス軍艦フェートン号が、オランダ船を捉えるために長崎に侵入して、オランダ商館員を捕まえて、薪水や食料を奪った事件だ。これにあわてた幕府は、文化八(一八一一)年に「異国船打払令」を出したのであった。このように鎖国体制の日本列島を脅かす外国勢が、日本の沿岸を徘徊していたのである。この国を脅かす国際状況に対応するために、相手国の言葉を身につけて、敵を知る身構えをしなければならなかった。これがつまり国防の英学であった。

漂流してアメリカにわたり語学を身につけた中浜万次郎(ジョン万次郎)などが、この英学の教師として重宝にされた。天保一二（一八四一）年、ジョン万次郎は漁業操業中に遭難し、流されてアメリカ捕鯨船ホーランド号に救助され、アメリカに渡った。以来、アメリカで英語、数学、航海術などの学校教育を受けて、日本に帰り、幕府から普請役格に登用されて、外国使節の書信役など語学力を活かして活躍した。しかし、国防の英学時代の万次郎は、外国人と接触しないように、彼の行動はつねに監視されていたのである。

時代が変転して、嘉永六（一八五三）年に黒船が来航し、鎖国を解き、西洋文化を摂取しようと外国の知識を積極的に取り入れるために、オランダ語に変わって英学（語）研究が盛んになった。これが特化された興国の英学ということになる。それは国防の英学から、英語の基礎を学ぶことによって、欧米文化の専門的な学問の研究をする、興国の英学（この言い方が適当かどうか）に変わったのである。英語だからイギリスとなるが、黒船はアメリカだから、この英学にはアメリカの文物を研究する意味も含まれている。したがって、英語を言語媒体として、とくにイギリス、アメリカの哲学、政治、経済、法律、物理、化学などの文物を摂取、吸収しようとしたのが、実学志向の興国の英学であった、といって差し支えないだろう。

興国の英学の先駆者といえば、福沢諭吉だろう。そして、中村正直の同人社は英学の私塾であった。原胤昭の原女学校も英学である。森有礼の商業教育や津田仙の農業教育も英学によっている。この英学隆盛の一端を担った、磯部弥一郎の英語教育学校である「国民英学会」については、磯部が残した『国民英学会創立第三十周年回顧録』（国民英学会出版局・大正七・四）にその歴史が記録されている。二葉亭四迷、田山花袋、国木田独歩、幸徳秋水、長谷川如是閑、茅原華山などが学んでいる。ここで、明治期の英学塾の成立年表を見ておく。英学隆盛の様が窺える。

明治　元（一八六八）年　　四月　慶應義塾（福沢諭吉）
明治　二（一八六九）年　一一月　三汊学舎（箕作秋坪）
明治　三（一八七〇）年　一一月　攻玉塾（近藤真琴）
　　　　　　　　　　　一〇月　共立学舎（尺振八）
　　　　　　　　　　　一一月　育英舎（西周）
明治　六（一八七三）年　　二月　同人社（中村敬宇）
明治二一（一八八八）年　　二月　国民英学会（イーストレーク・磯部弥一郎）
明治二九（一八九六）年　一〇月　正則英語学校（斎藤秀三郎）

ちなみに、学制によって、私学、私塾、家塾の区別があった。私学が官学に対するものであることは、いうまでもない。教師の免許をもったものが自宅で教えるのが私塾、免許をもたないものが自宅で教えるのが家塾ということになっていた。

箕作秋坪の三汊学舎

箕作秋坪は、文政八（一八二五）年、美作（岡山県）に生まれた。江戸に出て、古賀侗庵（古賀謹一郎の父）の門に入る。侗庵は、時世の変わることを洞察して、秋坪に和蘭学を修めることを勧めた。それに従って、秋坪は、箕作阮甫（江戸後期の洋学者・医師）と緒方洪庵（幕末の蘭学者・医者）について蘭学を学び、幕府天文方で翻訳に従事した。その後、遣外使節に従ってヨーロッパに行く。元治元（一八六四）年、幕臣となって、ロシアとの樺太境界線の交渉に参加した。

福沢諭吉は官途につくのは「嫌いだ」といって、在野精神を発揮した。新島襄も新政府の招きに、「私学教育」に専心するといって断った。幕府の高官で、優れた洋学者でもあり、「東京大学をつくった男」といわれる古賀謹一郎も官途につかず、一市井人として世を忘れ、また世からも忘れられた。この古賀の評伝に『古賀謹一郎』（小野寺龍太・ミネルバ書房）がある。箕作も、維新後は、新政府に招かれたが応ずることなく、人材育成を自らの任務と考えて、三汊学舎を開いて教育に専念した。

その三汊学舎は、明治元（一八六八）年一一月、東京蛎殻町の松平津山藩々邸内に創設された。慶應義塾についで古い英語塾である。通常、「三叉」と表記する場合もある。

三汊学舎の学科は、英学普通科で、文法、地理、歴史、究理、経済、天文、数学などであった。数学は全生徒に課せられた。数学の教師は、風采異様な大井徳成で、『筆算通書入門』（明治六年刊）という数学の参考書の編著があり、加減乗除、比例、累加法、累乗積、求積法などを教えたという。

ところで、三汊学舎の「三汊」という塾名の由来だが、『東京の英学』（都史紀要一六　東京都）によると、塾が大川端の松平邸内にあって、「大川には三方から潮の流れが集まるところがあったので、それにちなんで三叉学舎とよんだといわれている」とある。どうもこれは誤伝のようだ。

「津山藩中屋敷のある所は、一方は隅田川に接し、箱崎町の旧土佐藩邸と隅田川支流の水を隔てて相対し、斜めに中洲に面しており、その中洲には当時葦が生い茂っていた。一方は下の橋から中の橋に至まで堀割に面して、ここに表門があった。」その庭に大きな池があって、大川の潮水が流れ込んでいた。その池の名が「三汊」だ。仙台侯が意に叶わぬ女郎高尾を斬って捨てたといういわくつきの池だ。この「三汊」の名を取って塾名としたという（『箕作秋坪とその周辺』箕作秋坪伝記刊行会）。

箕作は、洋学者であったが漢学の造詣も深かった。門弟に対して、「洋学ばかりやっていてはいかん。同時に漢学をやらなければ、人間というものは立派にならん。漢学の出来ない洋学者は役に立たぬ」と常に言っていたという。中村敬宇の「漢学不可廃論」と同じ考えだ。日本人として伝来の漢学による古典的な思想、文物を学び、それを基底として洋学を学ぶという学問を学ぶ姿勢を言っていると言えよう。

明治時代の漢学は知識人の教養であった。漢学は、日本文化に深い影響を与えた、中国の古典文化を理解するための学問であった。文明開化の欧化主義は漢学を衰退させたように思えるが、中村敬宇の同人社で漢学を教えたように、東京には、安井息軒の「三計塾」、島田篁村の「雙桂精舎」などがあり、漢学は盛んであった。漢詩を善くした茅原華山に『漢詩弁護』(秀英舎・明治二三)があることを付け加えておく。

明治一〇(一八七七)年三月一〇日に、陽其二によって創刊された雑誌『頴才新誌』は、漢詩文の投稿雑誌として、当時の青少年に歓迎された。田山花袋、尾崎紅葉、山田美妙、茅原華山などが投稿して、漢詩文の腕を磨いた。また、四六駢儷体による対句の言い回しも流行った。しかし、儒教思想に裏打ちされた漢学を福沢諭吉が嫌ったように、専門的学問としては残ったが、漢学は時代から脱ぎ捨てられ、漢学を支える漢文は古色蒼然とした文体となった。しかし、近代日本の文化は漢文脈のなかにあって、豊饒な感性を育てている。漢字は未だ滅びずと言いたいのだが。

この三沢学舎には、東郷平八郎（日露戦争の戦功で国民的英雄）、大槻文彦（「言海」をまとめた国語学者）、平沼淑郎（経済学者）、阪谷芳郎（財政家、東京市長）らが学んでいる。なお、数学者で、日本標準時の建議者である菊池大麓は、秋坪の次男である。

原敬や犬養毅らが学んだ共慣義塾

南部藩（岩手・盛岡藩）は戊辰戦争の時、奥羽越列藩同盟（東北・北越諸藩が結んだ反政府軍軍事同盟）に参加した。そして、新政府軍に寝返った弘前藩と戦うが、佐賀藩などが新政府軍に加勢したことなどあって、あえなく敗戦。そのために新政府により罪に問われて、領地の削減などに遭った。しかも七〇万両の拠出金に窮して、廃藩置県にさきだって版籍奉還を願い出て盛岡県となったのであった。この恥辱をそそぎたいと旧藩士南部利恭は、東京に出て南部人を養成しようと、明治四（一八七一）年に京橋区木挽町に設立したのが、恭慣義塾である。「開学願書」によると義塾の開主は、南部信民で、塾長は、慶應義塾で学んだ佐藤三介。

学科は英学である。語学学習のための「英和通信」とか「会話暗唱」という科目があるが、先にもいったとおり、英学は、英語またはイギリスの学問を勉強することであったから、これまで見てきた英学塾と同じように、経済書講義、米国史講義、万国史会読、地理書素読、地学初歩素読というカリキュラムが編成されている。

盛岡が生んだ平民宰相原敬はここに学んだ。原は「明治三年（一八七〇）藩校作人館の修文所に入り漢学・国学を学んだが、二年前の戊辰戦争に際して新政府軍と戦って敗れた南部軍は、政府の要求した七十万両の献金が調達できず、みずから願い出て三年七月廃藩となった。翌年南部家が東京に英学校共慣義塾を設立すると、原も旧藩子弟とともに上京して入塾したが、学費に窮して五年フランス人マリンの経営する神父学校に入った」（『日本近現代人名辞典』）。この神父学校の東京天主教会で洗礼を受け、洗礼名をダビデ・ハラと言った。

共慣義塾の学費は、月謝、寄宿料合わせて一ヶ月三円であった。義塾は南部人養成を主としたものだから、一般の塾より月謝のなどは安かったのだが、寄宿料と比較すると高い月謝だった。生徒数も少なく、外人教師の人件費も高く、やりくりは大変であったのだろう。原敬はこの月謝が払えなかったのだ。

昭和七（一九三二）年五月一五日に、国家改造を計画した海軍青年将校によるクーデターが起こった。軍国主義とファシズムへの道を開いたとされる五・一五事件だ。このとき「話せばわかる」といって射殺された犬養毅（木堂）も若い頃、共慣義塾に学んでいる。『犬養木堂傳』（木堂先生傳記刊行會）に「共慣義塾に學ぶ」という項目がある。「共慣義塾は、もと福地櫻痴が創立したといふことだが、當時は、八戸の南部家（盛岡南部の分家）が管理して居り、家扶が塾監であつた。塾は賄料が安くて、従ってひどい粗食で閉口した」と言っている。

義塾は、木挽町から新築した新富町の校舎に移転したが、この新築校舎が火災にあって焼失したため、福地源一郎が開校した日新舎（一説に「柳陰義塾」・小山文雄『明治の異才　福地櫻痴』中公新書）の跡地である本郷湯島に移転した。犬養木堂はその湯島の校舎で学んだ。月謝の高い原敬の義塾は木挽町で、木堂の賄料の安い義塾は新富町だった。そして『木堂傳』には、「當時、東京では、福澤諭吉の慶應義塾、中村敬宇の同人社、林欽次の勧學塾、尺振八の共立學舎が有名であつた。然るに木堂が藤田の勧めに従つて共感塾を選んだのは、一つは学費の関係」からだったと言っている。

また、ここに登場する福地源一郎（櫻痴）は、旧幕臣。新政府軍の統治下の江戸にあって、主宰する『江湖新聞』で佐幕派的論陣を張って逮捕され、我が国新聞紙史上の初の筆禍事件に遭った人物である。そして、札幌農学校で、内村鑑三とともに、イエスを信じる「誓約」をした新渡戸稲造や高島秋帆門下の西洋砲術家田辺孫一郎の長男田辺朔郎も共慣義塾に通っている。田辺はその後、工部大学校で土木工学を学び、工手学校でも教えている。ちなみに、ルソーの民約論を訳した中江兆民は、仏学を教える福地の日新舎と村上英俊の達理堂（仏学塾）に学んでいる。その村上英俊の「達理堂」については、富田仁の「フランス語塾『達理堂』の周辺」（『フランス語事始―村上英俊とその時代』日本放送出版協会）に詳しい。

もうひとつ、『木堂傳』に出て来る「林欽次の勧學塾」だが、『洋學史辞典』（日蘭学会編）によると、林欽次（林正十郎）が明治五年（一八七二）に設立したフランス語塾は「迎曦塾」と呼ばれたらしい。しかし、『東京の理科系大学』（都史紀要十一・東京都）で林欽次の「迎曦塾」に言及していて「法学と農学をその学科目にかかげ、日耳曼人カール・クレーマーが農学を担当した」とあって、フランス語については触れられていない。そして、これは別人らしいが林欽二が、芝愛宕下に私塾三田英語学校を創設したともある（『大日本人名辞書』講談社学術文庫）。諸説紛々の感がある。

なお、手塚竜麿の『日本近代化の先駆者たち』（吾妻書房）に収めた「いまはなき明治の名門校」という考証精緻な文章で、旧幕臣の学び舎と言う視点はないが、「旧南部藩がたてた共慣義塾」を取り上げており、その他に「中村正直と同人社」、「アンナ・ギターと駿台英和学校」、「木村熊二と明治女学校」、これから述べる「津田仙と学農社農学校」「尺振八と共立学舎」などについても概説している。

その後、共慣義塾については、次のような研究論文のあることを知った。それは、藤原暹の「北方洋学思想史」を論じた論文で、「北方思想史―盛岡と東京―（4）」（岩手大学人文社会科学部紀要・一九九八・一二）である。「維新期の日新堂」、『共慣義塾』について」の論述があり、後者では、「福地源一郎の日新舎と共慣義塾」、「共慣義塾設立の初期段階」、「共慣義塾出張所について」で共慣義塾が詳述されている。

そして、これは全く場外の余談になるが、共慣義塾が東京検梅史に関係があるのではないかという「共慣義塾研究序説」(中西淳朗『日本医事新報』)という論考がある。先行研究に「池田元岱、目澤融徳が共慣義塾を興し、医学生に駆梅療法を教えたらしい」というのがあって、それに触発されて、共慣義塾を調べたという。調べた共慣義塾は、塾創設者は別人だし、しかもその塾は英学塾で、医学を講じた痕跡はなく、検梅史との関係は把握出来ていないといっている。福地源一郎や吉原で顔の売れていた岸田吟香などの線から追いかけようとしているが、資料不足と質的問題から、「少々疑問がある」としている。ところが、先の藤原暹の論文の「共慣義塾出張所について」で、この出張所は、「日浩舎」と言い、それも「吉原」に設置された「廓中ニ小学私塾ヲ営ミ」と言うものであったという。廓に学校というのも奇抜だ。

この問題はしばらく措くとしても、長崎医学伝習所所長であったオランダの軍医ポンペは、検梅を唱えて、松本良順に手伝わせて娼妓の検梅を務めさせた。良順は、明治三(一八七〇)年に東京早稲田に蘭疇医院を開院し、蘭疇舎という塾も開塾している。近藤勇に頼まれて、新撰組屯所の衛生面に助言を与えた松本良順の線からアプローチしたら、東京検梅史は、別の答えが出てくるかもしれない。

第九章　津田仙の学農社農学校

明治名数集

第七章の「帝国四大私塾」という呼び方は、一ツ橋にあった帝国教育会という当時としては、私立学校にかなりの影響力をもっていた団体の命名だったから、そこに挙げられた私塾は光栄であったろう。慶応義塾、同志社、攻玉社、同人社は、当時としては大手ということだ。これは学校規模もあるだろうが、創立者の人物にもよっていると思えるのだ。福沢諭吉、新島襄、近藤真琴、中村正直といえば、当時の大物教育者と言うことになる。

四大私塾のように数を使ったいい方は沢山あって、当時の評価軸が示されている。明治新聞人の三傑といえば、池辺三山、陸羯南、徳富蘇峰となる。学校でいえば、東京六大法学校というのがあった。明治法律学校（明治大学）、東京専門学校（早稲田大学）、和仏法律学校（法政大学）、英吉利法律学校（中央大学）、専修学校（専修大学）、日本法律学校（日本大学）の六校である。

明治六大教育家といういい方もある。これまで登場した人物で、森有礼、福沢諭吉、新島襄、近藤真琴、それに中村正直と大木喬任が加わった六人。大木は佐賀藩出身の政治家だ。東京遷都を主張し、文部卿になったとき、学制頒布などの近代教育制度の確立に力を尽くしたが、実際の教育現場には関与していない。

この六大教育家の人選にマッタをかけた説がある。福沢、中村、新島、森、近藤はいいとして、大木を削除して井上毅（欽定憲法・教育勅語に尽力）を入れ、近藤真琴が入るのなら、津田仙、西村茂樹（修身学舎・日本弘道会）を加えて、八大教育家とするという意見だ（藤原喜代蔵『明治大正昭和　教育思想学説人物史』・東亜政経社）。

また、さきの帝国四大私塾に対して、同志社がぬけて、地域限定ともいうべき「東京の三大義塾」というのもある。慶応義塾、攻玉社、同人社だ。

しかし、「東京の三大義塾」のような十把ひとからげ的呼び方は、近代学校成立史という観点からすれば、正確な呼び方とはならないという意見もある。厳密な学問的立場からいえば、近世の私塾が近代学校へと脱皮したのは、近代教育の先駆とされる慶応義塾だけだという。例えば、鳥羽藩邸に開設された近藤真琴の塾（攻玉社）は、幕末期一時閉鎖された。そして、明治三（一八七〇）年に新設されて、塾主は海軍兵学校の教官で、この塾は兵学校の予備教育機関だったから、慶応義塾とは同日には論じられないという（多田建次『日本近代学校成立史の研究』玉川大学出版部）。

それはさておき、ちょっと構成が変わった「私立四大学校」という言い方もあった。慶応義塾と同志社は定番だが、新たに学農社農学校と共立学舎という新顔が加わっている。この二つの学校はなじみが薄い。しかし、設立者が旧幕臣で、土着的存在を漂わせている学校なのだ。学農社は、農学者津田仙によって創立され、共立学舎は、英学の先達尺振八が開学した。この両校は、「旧幕臣の学び舎」として逸することが出来ない存在である。そこでまず、津田仙の学農社農学校から訪ねることにする。

津田仙の実録戊辰戦争

津田仙は、天保八（一八三七）年、佐倉藩士小島良親の子として生まれ、幕臣津田英七の養嗣子となった。若いときは、医者、易者、土方、人足、銭湯の三助、筆耕などの職業をなんでもやったという苦労人であった。勉強嫌いであったが、江戸に出て学問の大切なことを知り、蘭学や英語を学び、慶応三（一八六七）年、通辯（通訳）として小野友五郎の随員となってアメリカに渡った。このとき、西洋農法を見聞している。帰国した津田は戊辰戦争に遭遇した。篠田正作の『日本新豪傑伝』

（偉業館）によると、戊辰の乱が起って、幕府が倒れるのを嘆いた津田は、徳川氏の恩に報いようと、同士を集めて越後に赴き、兵を合わせて官軍を防ぎ留めようとしたが、「錦旗に敵すべき軍敗れて農家に潜み、身を寠して時機を俟ち」、会津城が落城して東北地方が定まり、箱館の軍も降参して世が太平となったので、これからは実業の世の中になると見通して、農学の研究に打ち込んだ、というのだ。

しかし、この伝聞に対して、高崎宗司の博捜、精緻な『津田仙評伝』（草風館）は異論を唱えている。それによると、篠田正作の右の「軍敗れて農家に潜み、身を寠して時機を俟ち」というのは事実誤認だ。津田の幕臣（直参）としての徳川家に対する忠誠心は、篠田の文章でも十分伝わるが、事実関係が違う。高崎宗司によると、つぎのようである。

新潟に上陸した新政府軍との銃撃戦に参加した津田は、戦況有利の報に、同士と茶屋でスッポン料理を食べて夜を過ごした。しかし、列藩同盟は敗れ、茶屋にいたところを奇襲に遭う。同士の一人から討ち死にしようという悲壮な意見もあったが、津田が諌めて思いとどまる。逮捕された仙たちは、厳しく取り調べられ、殴る蹴るの乱暴を受けて軟禁されたが、脱出。こんどは、東北列藩同盟軍の船と思って乗船したのが新政府軍の船で、再び危機に瀕した。しかし、その船にかつて英学を学んだ西貞八郎がいて助けられた。というのが津田の実録戊辰戦争であったという。

西洋農法の研究

こうして、津田は新潟から津軽海峡を経て横浜に辿り着いた。公職を離れた津田は、築地のホテル館に勤めた。そこで、キャベツとか玉ネギとかパセリなどという西洋野菜が大変高価で買い入れられ、また牛乳が大切な飲料であることを知った。これが彼を農学研究に駆り立てた動機であった。

そして、明治六（一八七三）年にオーストリアの首都ウイーンで開催された万国博覧会に出席して、農業の近代化とその人材を育成しようと思い立ち、明治八（一八七六）年に、麻布の新網町に学農社を創設したのであった。この万国博のとき土産に持ち帰ったニセアカシヤと神樹の苗木を、大手町付近の堀端と小石川江戸川橋に植えたのが、日本の街路樹のはじめだと伝えられている。

津田の農業研究にはずみがついたのは、明治天皇の使者が来て「粉骨砕身能く忍耐して仙の国家に尽力するを嘉す」という勅語を賜り、感激して農業の研究に励んだのであったという（篠田正作『日本新豪傑伝』）。

その津田の農業理論は、日本の旧慣農法に対して農業を学問的に研究し、科学的な栽培方法を採用して、合理的な農業を行うという考えによった。その理論を体系化したのが「農業三事」である。この農業三事は、オランダの園芸家で、日本文化の恩人ともいえるシーボルトの友人であったダニエル・ホイブレンクから口述を受けたものを中心として考案されたもので、「気筒法」（筒を地中に埋めて肥やしを地中に達する）、「偃曲」（枝を下方に曲げて幹や枝を丈夫にする）、「媒助」（人口授粉）からなっている。

このなかで有名だったのは「媒助」で、「作物を適宜に震動させると穂が一斉に開花して花粉を噴出するが、この花粉は蜜を塗った媒助縄に捕らえられて確実に授粉を成就させる」というものであったという。しかし、この「津田縄」には議論があって、やがて下火になってしまった。この津田の農業理論に、徳富蘆花の父親、徳富一敬が心服して影響されたらしい。

学農社農学校の設立

学農社が行う事業には、後に述べる『農業雑誌』を刊行することと共に、農業を教育、研究する農学校を創立することであった。明治八（一八七五）年九月に、学農社がある津田仙の自宅、麻布東町二三番地に農学校を設立した。その後、麻布木村町百七七番地に移動したとある（『東京の理科系大学』都史紀要十一・東京都）。そして、東京府知事大久保一翁宛に提出した、明治八年当時の津田の「教員歴」には次の様にある（『東京の理科系大学』）。

「幼年ノ時旧佐倉藩小倉弥学ニ就テ漢学ヲ修メ其後二拾歳ニ至リテ手塚律蔵ニ蘭学ヲ学ビ又森山多吉郎ニ随テ英語ヲ学ビ旧幕府外国方相勤メ慶應二年米国江航シ明治三年東伏見宮英学修業中侍読相勤メ明治六年博覧会御用ニ付澳国江被遣彼地ニ於テホーイブリング氏に従テ農業ヲ学ブ」。

右に登場する人物を検証して置く。漢学を修めた佐倉藩の小倉弥学は、佐倉藩の「小納戸部屋番」という役職にあった人物であるらしいが細かいことは分からない。蘭学を学んだ手塚律蔵は、佐倉藩士で洋学者。長崎で高島秋帆に西洋兵学を学んだ後、江戸に出て蘭学を修めた。その後、本郷元町に又新堂を開塾。この塾には、西周、神田孝平、木戸孝允などが入門している。そして、森山多吉郎（栄之助）は、オランダ通詞。英語も堪能で二か国語を操る幕末外交の中心的通訳官であった。江戸小石川に開塾した英語塾には、津田をはじめ沼間守一、福地源一郎、福澤諭吉などがその門を叩いたという。以上は『洋學史事典』（日蘭学会編・雄松堂出版）によった。

さてそこで、学農社農学学校の「開申書」を見ると次の通りである。

一、本校ハ専ラ泰西ノ農事ヲ講究シ以テ本邦ノ農業ヲ開進セシメン事ヲ主旨トス

二、本校ノ学科之ヲ大別シテ二ト為ス曰ク正則曰ク変則是ナリ

そして、「農事を講究」する学科目は、数学、万国史、地理学、物理学、代数学というわゆる基礎科目があって、農学に関する専門科目は次のようになっている。

正科には、農業初歩、耕圃学、果実学、農業新論、家畜学、植生如何、農業器械学、植養如何、牧牛学、牧羊学、牧馬学、農業化学、農業経済学があり、それぞれ実験という実習学科が準備されている。

また、正科以外として、空中現象学、獣医学、心理学、修身学などを教授した。このなかの心理学は、同志社の元良勇次郎が津田に頼まれて学農社に来て教えた。

同志社の新島襄と津田は昵懇であった（都田豊三郎「新島襄と津田仙」『津田仙』・昭和四七）。

『津田仙評伝』には、教員や学生の具体的な名前が挙げられている。それらは、『伝』によられたいが、学生たちには、「元武士（士族）」が多かったようだと書かれている。おそらく、これらの士族には、旧幕臣の系譜に連なる者が多くいたであろう。そして、設立当初は学内に日曜学校を開いて、長崎の済美館（後の広運館）では英語ばかりでなく、数学や科学などを教えていたオランダ改革派教会宣教師のヴァーベック（一八三〇～一八九八）やアメリカの宣教師で、青山学院の源流である「耕教学舎」を設立したJ・ソーパーなどを招いて聖書購読などをしている。

学農社は、学校教育の中でキリスト教の普及にも寄与するとともに、近代的農業の啓蒙、普及のために『農業雑誌』を刊行している。「農者、人民職業中、最健全、最尊貴、而最有益者也」というジョージ・ワシントンの言葉を雑誌に掲げている。くだいていえば、「農業は、最も健康的であり、最も有益であり、人間の営為として尊いものである」ということだ。これを農学校の教育理念として津田は考えていたと思われるのだ。そして、『農業雑誌』によって、農業理論の普及と同時に、海外の菜種を販売した。この販売方法は、日本における通信販売の最初とされている。

明治女学校の巌本善次は学農社を卒業して、この『農業雑誌』の編集をしていた時期があった。同じく学農社出身の十文字信介もこの雑誌の主筆をしていたことがある。十文字は、宮城県出身で、箕作秋坪の三汊塾で英学を学び学農社に入学した。後に猟銃の名士といわれて、鉄砲業を営んだという。

その他に、盛岡の近代街づくりの先駆者といわれる三田義正、新宿御苑の西欧式庭園を造成した福羽逸人（国学者福羽美静の養嗣子）も学農社の出身。あの「福羽イチゴ」の創始者だ。

わが国の近代的な農業教育は、明治五（一八七二）年に、増上寺の一画を購入して開設された開拓使仮学校がある。当初は、農業教育というよりは、辺境防備のために北海道の開拓が取り上げられたことによった。所管は開拓使庁であった。後の札幌農学校である。もうひとつは、内務省勧業寮内藤新宿（現在の新宿御苑）の農業試験場内に設置された農事修学場がある。これらは官による農業教育だ。

一方、私学の農業教育といえば、ここでとりあげた津田仙の農学社農学校と榎本武揚の育英黌農学科とがある。農学社は、明治八（一八七五）年の創立で明治一七（一八八四）年一二月には、事実上、廃校となっており、榎本の農学科は明治二四（一八九一）年の創立だから、両校との直接の交渉はないだろう。ただ、榎本が北海道に重大な関心を抱いていたように、津田もまた、北海道開拓使を委託されたときがあり、北海道の開墾というテーマを持っていたらしく、『開拓雑誌』という雑誌を出している。この両者（両校）の接点が何かあれば面白いと思っているのだが、いまのところ手掛かりはない。

クララ・ホイットニー

中村正直の同人社女学校の開校式に出席したクララ・ホイットニーは、津田仙と親しく往来している。その様子が、クララの「明治日記」に詳しく出てくる。クララの父、W・C・ホイットニーは、前にも触れたが森有礼の商法講習所の簿記学の教師として招かれた。しかし、所長の矢野二郎と折り合いが悪かったらしい。クララは「矢野は悪意のある人物で、私たちは何も彼に不当な仕打ちをしていないのに、いつも私たちに害を加えようとするのだ（明治一一・四・二三）」とか、「父は、我々の敵である矢野の仕業で、東京府から免職になったのだ」。「矢野は暴君で、人使いが荒過ぎる。残酷な容赦のないブロカーで、絶対に損をしないように振る舞う（明治一一・五・二九）」と矢野二郎への恨みを書き綴っている。

この辺の内情はつまびらかに出来ないが、お雇い外国人の給料はかなり高額で、東京府会から財源の削減を強いられていた講習所の台所事情ということもあったろう。ともかく、大隈重信の矢野評に「商業教育というのに激発した」といっている、その「激発」に理由があるかもしれない。商法講習所を退任したホイットニーは、銀座三丁目の簿記学校で教えている。この学校は、定収入の無くなったホイットニーのために、津田仙が商法講習所の分校として建てた学校だといわれている。

「今日、津田氏が、お庭に苺を摘みに来るように招待してくださった（明治九・五・二四）」、「津田氏は可愛い陶器の茶道具と、きれいな鉢に入った美しい柊の木をくださった（同・一一・三）」というように、津田は一五歳になるアメリカの少女を可愛がった。そして、津田もクララの母から、アスパラガスやその他の野菜の料理法や、苺ショートケーキの作り方をノートと鉛筆を持って教えてもらっていた。

津田とホイットニー一家とは食事をともにしたり、一緒に出掛けたりして家族のように交際している。とくに祈祷会や聖書講読会などのキリスト教を通して親密であった。賛美歌を歌い、津田がキリストの「山上の垂訓」がある「マタイ伝五章」を読む。この会には、農学校の生徒も参加した。福沢諭吉や大鳥圭介も晩餐会に来ている。新島襄も津田とともにホイットニー家を訪ねた。クララは津田を「日本人に伝道しているクリスチャン」として敬意を払い、「新島襄は真に聖人だ。私は日本人に対してこんな風に感じたことは今までに一度もない」と崇敬の念を表している。

もう一人ホイットニー一家と交流があった人物がいる。勝海舟だ。海舟には、オランダの詩篇歌（主をほめよ）の自由訳をしたというエピソードがあるようにキリスト教に強い関心を抱いていた。アメリカ滞在中には、サンフランシスコの教会に毎週のように礼拝に通ったとも伝えられている。

そして、ホイットニー妻アンナの信仰生活に感銘を受けて、梶ひさとの子梅太郎の嫁にクララを迎えている。海舟は、帰天したアンナの墓誌に「骸化土霊帰天」と記した。これは、旧約聖書のコヘレト第一二章七節の「塵は元の大地に帰り、霊は与え主である神に帰る」によったものである。海舟は、受洗はしていないと言われているが、病床でヴィアティクム（望みの洗礼）を受けたとも伝えられている。

しかし、「もし海舟がキリスト教を信じたのに洗礼を受けなかったのだとしたら、そこには海舟なりの考え、あるいは何らかの事情があったのだと推察されます（下田ひとみ『海舟とキリスト教』作品社）という見方もある。勝海舟に強い関心を抱いた評論家の江藤淳は、「海舟の精神構造とキリスト教との関係は、今後の重要な研究課題となるに違いない」（江藤淳『勝海舟』・日本の名著32）と指摘している。ともあれ、海舟とキリスト教信仰の関係には興味深い問題が潜んでいると言えよう。

甘党のクリスチャン

農学者津田仙は、妻と共に洗礼を受けた熱心なクリスチャンであった。明治八（一八七五）年に、アメリカ・メソジスト監督派教会宣教師J・ソーパー（一八四五～一九三七）から洗礼を受けており、慶應義塾の初代塾長の古川正雄も受洗している。そのソーパーは、築地美以教会（後の銀座教会）を設立して伝道に心血を注いだ。

津田仙は、同志社の新島襄、同人社の中村正直とともに、明治キリスト教界の三傑とうたわれたほどにキリスト教に熱心に帰依している。

キリスト教に肩入れした津田は、ミッションスクールの創設にも助力した。メソジスト派の婦人宣教師D・E・スクーンメーカーとともに青山学院女子部の前身校である女子小学校（救世学校）を麻布新堀町に創設している。先にも述べたが現在の青山学院は、この女子小学校、J・ソーパーの耕教学舎（築地一丁目）、ロバート・マクレイの美以教会神学校（横浜山手地区）の三つの学校が母体となって創設されたものである。そして、久野英吉の聖書を教科に組み入れた普連土女学校の成立にも協力している。さらにまた、現在の筑波大学附属盲学校は、日本最初の医療宣教師で、指紋を犯罪者識別に適用した長老派教会宣教師ヘンリー・フォールズ（一八四三～一九三〇）を中心に、明治八（一八七五）年五月、旧幕臣の有識者たち、岸田吟香、古川正雄（榎本武揚とともに箱館戦争に参加）、中村正直、そして津田仙たちが盲人教育のために作った「楽善会」がそもそもの発端である。この「楽善会」のメンバーをみると、ここにも旧幕臣の教育ネットワークがある。

津田は、天然痘を患って目を犯され、失明同様になったことがあったらしく、これが盲人教育に力を入れた要因のひとつとなっているという。それに、津田は大の甘党であった。馬に乗って郊外を散歩中に、饅頭の並ぶ菓子屋の前に来て、過ぎ去ることが出来ずに、饅頭十数個を買って勘定を済ませず、思わずそのまま馬に乗った。菓子屋の番頭が発した「泥棒！」の大声に、津田仙、平身低頭であったとか。

甘党で胃病に悩んでいたという津田は、禁煙、禁酒運動にも熱心であった。『日の丸』という禁酒運動宣伝の雑誌を発行している。明治三一（一八九八）年に出来た日本禁酒同盟（会長安藤太郎）の總副会長に、彼をキリスト教に帰依させた宣教師ソーパーとともに就任している。

そしてまた、田中正造が運動した足尾銅山鉱毒事件にも共感を示した。キリスト教の指導者松村介石、『毎日新聞』の島田三郎らとともに、神田美土代町の基督教青年会館で開かれた鉱毒事件演説会で演説している。また、農作物に被害を及ぼした被害地を視察して、それをカメラにおさめ、幻灯機を使った演説会を開いて、被害者の救済を訴えたのだった。農相時代の榎本武揚は、津田の忠告によって、渡良瀬川沿岸の被害状況を視察して、その惨状に驚き、足尾銅山鉱毒調査会を内閣に設置したという。このように津田の実践的反骨精神はとどまることがなかった。

実は、十数年前にこの稿を書いた後に、津田仙のもう一つの伝記があることを知った。青山学院神学部出身で、関係教会の司牧を務めた都田豊三郎の『津田仙―明治の基督者―』である。津田仙の生涯を余すところなく詳述した、津田仙の初期研究文献としては貴重な一冊である。遅まきながら本稿でも若干触れたが、十分に参照したと言い難い。「非売品」（復刻版も出ているが）でそう流布されているとは言い難いので、津田の参考文献としてここに紹介しておく。

さて、明治四一（一九〇八）年の四月末、一人の老人が品川駅から横須賀線に乗った。汽車は終点の横須賀駅に着いた。乗客はみんな降りたが、品川駅から乗ったその老人は客席の片隅で眠ったままの様子だった。それが農業教育とともに私学教育に情熱を傾けた、「大平民」津田仙の最後の姿であった。享年七二。

青山墓地にある津田仙の墓石の右側には「復活者我生命者亦我」、左側には、「信我者雖死必生」と彫ってある。これは、ヨハネ福音書第十一章第二十五節の「わたしは復活である」、「わたしを信ずるものはたとえ死んでも生きる」というイエス・キリストの言葉に拠っている。

津田英学塾（現・津田女子大学）を創設した津田梅子は、津田仙の次女である。

第十章　尺振八の共立学舎とその周辺

『近時政論考』

明治二〇年代にナショナリズムを標榜して言論界に光彩を放ち、「新聞は国民世論を形成する場所だ」と喝破して新聞『日本』を主宰した陸羯南については、これまで何回か言及してきた。その陸に『近時政論考』（岩波文庫）という著書がある。そのなかに次のような文章がある。

泰西学問の漸く盛んならんとするや、東京の二三の強大なる私塾ありき。その最も著しきものはいまなお存する所の慶應義塾これなり。この塾は昔時国富論派の代表なる福沢諭吉氏の創立にして、これに次ぎ泰西の経済説を教えたるは、古洋学の巨擘たる尺振八の家塾なりという。この二塾より出でたる青年者は実に日本における経済学の拡張者たり。

ここに登場する慶應義塾は説明するまでもないと思うが、「古洋学の巨擘たる尺振八の家塾なり」という家塾は説明の必要があるだろう。それでは、これから尺振八が創立した共立学舎を訪ねることにしよう。

共立学舎

共立学舎は、慶応四（一八六八）年に横浜の久良木岐郡本牧村大字北方村（現・横浜市中区北方町）に英語塾として開いたのがその発端で、一時この塾は閉鎖され、明治三（一八七〇）年に東京の本所相生町に共立学舎として再興された。現在、以下に示すような墨田区両国四丁目に「尺振八の共立学舎跡」のプレート説明板が建っている。そのプレート板を次ぎに書き写す。なお、同じ場所に「尺振八の共立学舎跡36」という、尺の肖像を添えた木製の高札もある（「ぶらり両国街かど展実行委員会」）。

尺（せき）振八の共立学舎跡

所在　墨田区西両国四丁目八番周辺

尺振八は天保一〇年（一八三九）、下総高岡藩の医師の子として生まれました。万延元年（一八六〇）二二歳の尺はジョン万次郎や英学者西吉十郎らから英語を学び、文久元年（一八六一）からは福沢諭吉もいた幕府外国方に通弁（通訳）として勤めました。尺は幕府の同三年（一八六三）の渡欧、慶應三年（一八六七）の渡米と二度の使節団に随行してじかに西洋文明に接しました。

とりわけ、アメリカでは諭吉、津田仙と共に教育施設を視察して帰国し、やがて諭吉は「慶應義塾」を、尺は明治三年七月に相生町のこの地に「共立学舎」を開くことになります。

「共立学舎」は寄宿制英語塾でしたが、英語だけにとどまらず、漢字教育も行った洋漢兼学のバランスのとれた私塾であったために開塾後わずか半年で一〇〇名を越える生徒数を誇りました。

尺はスペンサーの「教育論」を翻訳した「斯氏教育論」を刊行、自由民権運動の理論者として数多くの人々に愛読され、また未刊の「明治英和字典」（死後、英学者永峯秀樹が後を継ぐ）の記述や多くの人材を輩出するなどの業績により、「現代英学の祖父」とも呼ばれ、諭吉と共に近代教育の幕開けを演じましたが、同一九年一一月二八日、四八歳の若さでこの世を去りました。

平成八年三月　　　　墨田区教育委員会

この共立学舎は、尺振八が敬慕した福沢諭吉の慶応義塾をモデルとしたものだった。「慶應義塾」のところで説明したので繰り返さないが（飯田鼎『福澤諭吉』中公新書）、要は、共立学舎も慶應義塾の設立趣意に倣って、「国家公共の目的の為に設立され、法律的に一定の基本金の下に設けられた公共団体によって運営される私立学校」として、尺新八は共立学舎の建学の精神としたのである。尺の共立学舎は、今日ではその姿はないが、往時は、慶応義塾と並び称されたといわれている。左記に掲げる英学塾を中心とした「明治四年三月中東京府下私塾并ニ生徒ノ数」（『新聞雑誌』第5号明治四・六　『新聞集成明治編年史』第一巻）を見ると、開塾間もない共立学舎の生徒数が三桁の数字を示しているのは、慶応義塾と拮抗したという隆盛振りがわかる。なお、原文にはないが、塾名は分かる範囲で記入した。

英仏学　箕作秋坪（三汊学舎）　一〇六名
洋漢学　山東一郎（明治塾）　三四名
仏　学　福地源一郎（日新舎）　七八名
洋漢学　尺　振八（共立学舎）　一一一名

英　学　田中録之助（明倫社）　二三名
英仏学　司馬少博士（春風社）　一九名
洋　学　伊東昌之助　一四名
仏　学　中神　保　一四名
洋　学　西　周助（育英舎）　一三名
英　学　上野鍈太郎　九名
英　学　山尾工部権大丞　八名
洋　学　高橋琢也　四名
仏　学　村上英俊（達理堂）　一三名
英　学　吉田健三　六名
英　学　福沢諭吉（慶應義塾）　三二三名
英　学　鳴門二郎吉（鳴門塾）　一四一名

夏目漱石の小篇「落第」に共立学舎が出てくる。漱石が英語の勉強をするために英語塾を探す。「予備門へ入るものは多く成立学舎、共立学舎、進文学舎、――之は坪内さんなどがやって居たので本郷壱岐殿坂の上あたりにあった―其他之に類する二三の予備校で入学試験の準備をしたものである」(『夏目漱石全集一〇』・ちくま文庫)。このなかに出てくる成立学舎は中原貞七という人物が主宰だった。南部藩出身の中原については、『文學士　中原貞七君小傳』(太田代十郎・明治二三)があり、国立国会図書館のデジタルライブラリーで読むことが出来る。「坪内さん」というのは、英語を教えたシェークスピアの翻譯で名高い坪内雄蔵(逍遥)である。

また、進文学舎は橘機郎という人物が主宰者。森鷗外が「僕は本郷壱岐坂にあった、独逸語を教える私立学校にはいった。これはお父様が僕に鉱山学をさせようと思っていたからである」(「ヰタ・セクスアリス」ちくま文庫)、と言っている私立学校は、「進文学舎」だと思われる。それに、正岡子規も「十七年の夏休みの間は本郷町の進文学舎といふ処へ英語を習ひに往った。」(『墨汁一滴』岩波文庫)とある。この進文学舎(社)については、高田早苗の関係から『早稲田大学百年史』に言及されており、坪内祐三の『極私的東京名所案内』(彷徨舎)に「進文学舎」と「進文学社」を考証した文章がある。

なお、右に掲げた塾の主宰者の簡単な注釈を付記して置く。すでに取り上げた者、またこれから取り上げる者は省略した。田中録之助は不詳。司馬少博士は蘭医の司馬凌海で、司馬遼太郎の小説『胡蝶の夢』は、松本良順と凌海を描いた長編である。伊東昌之助は川路太郎、中村正直の引率で幕臣の子弟がイギリスに留学した時の生徒の一人。中神保は不詳。上野鍈太郎は不詳。山尾工部権大丞は山尾庸三で、幕末に伊藤博文らと共に長州藩からヨーロッパに派遣された長州五傑の一人。吉田健三は実業家。幕末イギリスに密航。総理大臣吉田茂の養父。鳴門義民。横浜で外国人に英語を学んだ明治期の英学者、農政官僚。なお、『日本語学研究事典』（明治書院）の「人名索引」に「不詳」の人物が登録されているが略歴はない。

尺の教育思想

尺振八の伝記『英学の先達　尺振八　幕末・明治をさきがける』（はまかぜ新聞社）という一冊がある。尺振八の令孫尺次郎が書いたもので、それによると、共立学舎の内容を伝える残存資料の少ない中で、「共立學舎規條」が残されており、それを見ると、共立学舎が慶應義塾の教育方法を土台としたように、学舎における生活規範も「眠食都テ清潔ヲ要ス」、「金銭ノ貸借ヲ禁ズ」とあるように、慶應義塾と殆ど同じだと指摘している。

尺は、不遇な環境に陥った幕臣の子弟を教育することを念頭に置いていた。後に述べる大蔵省翻訳局に入局したのもそのためであった。まず、共立学社の教育内容を見てみよう。設置学科は、英学で、仏国史（グウドリッチ）、希臘史（シーウエル）、経済書（ウエーランド）を教科書として使っていたという記録がある（『東京の英学』都史紀要一六）。授業は、英文和訳、和文英訳の実学を重んじた。月、火、金曜日は、午前八時から九時半まで、振八が英語のテキストを音読して教えた。残りの水、木、土曜日には、福沢諭吉が慶応義塾で教えていたウエーランドの経済書を使って英語を教えた。また、全員が声を出してテキストを読みながら授業する「会読」という授業を、毎日二時間行った。この会読では、スチュウーデントのフランス史と英国史、ヴィードリッチのフランス史、シーウエルのギリシャ史を使った。いわゆる英語を通して外国事情を塾生は学んでいたのである。しかも、振八が「洋漢兼学」といったように漢学も教えていた。「漢学不可廃論」を唱えた、中村正直の洋学とそれを理解するための漢学教育と同じ授業方法である。中村は日本語の咀嚼を念頭に置いての漢学教育だったと言えるかも知れない。

後に紹介する乙骨太郎乙の「尺振八略傳」によると、「会読」という授業をする「容貌清楚音吐低静眼に光芒」ある尺の教授方法は、「其の書を講ずる深を鉤し微を析き妙に掻痒の致を盡す故に聴く者之を楽む」とある。要点を明解に説いて、しかも痒いところに手が届く教え方であったという。中村の日本語の咀嚼に通底する。

これに加えて、尺振八は「泰西の経済説」を教えたと陸羯南は言っている。それは、尺の門弟が訳した、アダム・スミスの『富国論』の校閲を尺がしていることからも推察できる。その訳書は、亜当斯密（アダム・スミス）著『富国論・石川暎作、嵯峨正作訳、尺振八閲（経済雑誌社　明治一七・二二）』である。訳者の石川暎作や嵯峨正作も共立学舎で学んでいる。もうひとつ尺の重要な翻訳は、スペンサー（斯氏）の教育論『斯氏教育論』（明治一三）だ。この訳本は、自由教育や自由思想のバイブルのように読まれたという。社会進化論に裏打ちされた、スペンサーの自由放任主義や社会有機体説は、逼塞していた旧幕臣の青年たちに歓迎された。従って、共立学舎の教育理念は、日本思想史の観点から見れば、福沢諭吉の自発的精神や実学精神を縦軸とし、スペンサーの自由教育と自由思想を横軸としたものであると言えよう。つまり、沢の教育方針は、「無干渉と定めぬ。教育の基礎を独立に据えぬ」（原抱一庵）ということである。そしてさらに、尺の視野は、『共立學舎規條』を見ると、「支那トノ交際」とか「亜墨利加ヲ始メトシテ其他西洋各國トノ交際」という言葉が見られ、尺の視野は、中国や欧米に向けられており、今日でいうグローバルな視点もあったように思われる。

また、日本英学史の観点から少し言及すれば、明治五（一八七二）年に、尺振八と須藤時一郎とで『英語韵礎』（共立学舎）を出しており、明治一七（一八八四）年六月には『明治英和字典』の第一分冊が尺の訳で六合館から発行された。しかし、尺の体調不良から、明治一九（一八八六）年三月刊行の第四冊分から、後に登場する田辺太一が教授を勤めた甲府の徽典館で学んだ永峯秀樹が後を継いだ。さらに、明治一九年一一月、尺振八起草・永峯秀樹嗣の『明治英和字典・全』が発行された。永峯は、沼津兵学校の教授の乙骨太郎乙とは師弟関係にあり、永峯が海軍兵学校を受験する際、牛込の乙骨家に寄留したという縁がある。この乙骨家については、「徳川兵学校（沼津兵学校）のところで述べた。

西南戦争の影響もあって、私塾の学生数が減少したことがあった。その時、福沢諭吉の慶應義塾、尺振八の共立学舎、箕作秋坪の三汊塾がともに、「私塾維持金之為資本拝借之願」を政府に出した。パブリック・スクールの設立思想によって、政府に補助金を申請するのは、当然と考えたのだろう。今日でいう、私立学校国庫補助金の走りだ。しかし、政府は私塾に対する公費生を廃止した。この私塾への公費助成を廃止する通達に対して、尺は「御布告之趣ニ付建言仕候書付」と抗議の文書を送り、福沢諭吉も上申書を提出し、官学と私学との差別待遇にもの申している。とにかく、新政府の官学偏重の教育行政は、私塾への公費助成など論外であったろう。

そうこうするうちに、共立学舎は尺の病気などの理由により閉校を考えたが、塾頭の波多野伝三郎などが中心となって、野村本之助（東京嚶鳴社社員・『東京横浜毎日新聞』記者）らとともに学舎の経営を続けた。波多野伝三郎は、長岡藩の出身。長岡藩が幕府方として新政府軍に抗戦したため、家が焼かれ仙台に逃れた。明治七

（一八八四）年に、共立学社に入学している。しかも、折から勃興した自由民権運動に波多野らが肩入れし、沼間守一の嚶鳴社と深くかかわるようになった。共立学舎創立の時、振八を助けた須藤時一郎、横浜の塾以来、振八の弟子であった高梨哲太郎は、沼間守一と実の兄弟であった。須藤時一郎は、戊辰戦争のときは、沼間守一と奥州に脱走して、会津や庄内を転戦している。また、嚶鳴社が発足するとき、振八の弟子であった島田三郎や田口卯吉が馳せ参じたということなどがあって、やや尺の意とは反して、嚶鳴社と共立学舎との関係が深くなったのである。そして、嚶鳴社へ傾斜した波多野、須藤、高梨らは、やがて共立学舎から離れた。かてて加えて、尺の病気や財政難も手伝って、明治一二（一八七九）年四月、私学閉業届を東京府知事宛に出して、共立学舎は廃校となった。

ところで、波多野伝三郎らが肩入れした自由民権運動は、スペンサーの思想などを支柱として、明治七（一八七四）年頃から勃興した政治運動で、明治政府による天皇制政治と官僚政治に反対して、国会開設、憲法制定、地租軽減、不平等条約改正、地方自治などを求めた。大都市の言論界、私学などを基盤に、新聞・雑誌などのメディアを使って活動を行い、演説会などを頻繁に開催した。その構成員層は、新政府に不満をもつ旧幕臣系列の士族やジャーナリストたちであった。

エンゲレスゴデキル

同時代人が書いた尺振八の略伝は、田口卯吉が編纂した『大日本人名辞書』（講談社学術文庫　復刻版）に収録されている「尺振八」（乙骨太郎乙所選略傳）がある。それを参照する前に、森鷗外の『渋江抽斎』（ちくま文庫）に、抽斎の嗣子渋江成善（保）が、尺振八の英学塾に通ったことが書かれており、それが手頃な振八略伝になっている、それを次ぎに引き写す。明治四（一八七一）年のことだ。

成善は英語を学ばんがために、五月十一日に本所相生町の共立学舎に通い始めた。父抽斎は遺言して蘭語を学ばしめようとしたのに、時代の変遷は学ぶべき外国語を易うるに至らしめたのである。共立学舎は尺振八の経営する所である。振八、初の名を仁寿と云う。下総国高岡の城主井上筑後守正滝の家来鈴木白寿の子である。天保十年に江戸佐久間町に生れ、安政の末年に尺氏を冒した。田辺太一に啓発せられて英学に志し、中浜万次郎、西吉十郎等を師とし、次で英米人に親炙し、文久中仏英二国に遊んだ。成善が従学した時は三十三歳になっていた。

また、乙骨の「略傳」に依拠しながら、事実関係の裏付けをとりつつ、英学史の観点から、振八の生涯を詳細に検証した、「英学者・尺振八とその周辺」（森川隆司『漱石の学生時代の英作文三点―幕末明治英学史論集』近代文藝社）という論考がある。そのなかで、右に掲げた鷗外の文章で「文久中仏米二国に遊んだ」と書いているのは、乙骨「略傳」の書き漏れを踏襲した誤りで、「文久三年」に仏国、「慶應三年」に米国に遊んだのが史実として正しいと指摘している。

さらに、この乙骨の「略傳」で注目すべきことがある。それは、田辺石庵、藤森天山に学んだ後、「安政の末故ありて尺氏を冒し」とある一行だ。この「尺氏を冒し」とは、生家鈴木家から尺家に養子に入ったということである。乙骨が指摘する「故ありて」を鷗外は省略しているが、その養家が幕臣の系譜であった。乙骨が「故ありて」と特記したのは、幕臣となるとその子弟は、昌平校の寄宿寮に無料で入ることが出来た。尺はその便宜のために幕臣系譜の養子になったともいわれている。

「養子」の件は後に折に触れて言及するとして、幕末、世は鎖国攘夷の論が盛んであった。それを疑問とした尺は、かつて学んだ田辺石庵の息子で外国局にいた田辺太一に自分の考えを尋ねると、田辺太一は、時代は鎖国攘夷などと言っている時ではない。国家有用の人物となるには、洋学を勉強しなければだめだと言われて、尺の疑念は晴れた。尺が幕末国家の動勢を聞いた田辺太一は、幕府外交官として活躍し、維新後に一時、横浜で商売をしていた。田辺は、その商売で蓄えた資金を箱館にいる榎本武揚たちの後顧の憂いのないように送っていたのであった。その後、沼津兵学校の教授になっている。晩年は、漢詩に親しんで、「蓮舟」と号した。

田辺の忠告に従って、中浜万次郎について英語を学んだ尺の勉強ぶりは凄まじく、部屋を行ったり来たりしながら、障子一杯に単語を書き連ねて覚えた。夜には、行灯の白い笠が英単語で埋まったという。先に紹介した共立学舎の塾生規則の一項目に「戸障子壁其外銘々ノ行燈へ樂書ヲ禁ズ」とあるのが面白い。その後、何人かの外国人に就いて語学学習に励んだ。その甲斐があって、幕府の使節に従って、フランス、アメリカに渡航した。

フランスへは、池田筑後守の使節団に随行した。このときの外国語通弁として尺のほかに、矢野二郎、益田進（孝）がいた。池田使節団の名簿が残っている。その名簿の尺振八、矢野二郎、益田進の名前の上に「エンゲレスゴデキル」と書き込んである。英語が出来るという意味だ。また、通弁御用頭取の西吉十郎には「ヲランダゴデキマス」とあり、箱館奉行所の通弁塩田三郎には「エンゲレス・フランスデキマス」、横浜運上所通弁の山内六三郎には「ヲランダ・エンゲレスデキル」という書き込みがある。ともかく尺は、勉強した英語力を存分に駆使する機会を与えられ、また、外国の文物に直接接する機会も与えられたのだった。この経験がやがて共立学舎を興す動機となった。

大蔵省翻訳局

徳川幕府瓦解後の幕臣の身の振り方のひとつに「節を枉げて朝臣として明治政府に仕える」というカテゴリーがあった。字義通りに解釈すれば精神的敗北である。新政府に仕官することを「それが嫌いだ」といった福沢諭吉が、新政府の要人となった勝海舟や榎本武揚に幕臣のエトスを堅持してほしかったと「瘦我慢の説」を書いて非議した。旧幕臣の倫理観からすれば、もっともな言い分である。特に下級武士の勝海舟については、「海舟嫌い」という見方が幕臣の栗本鋤雲、大鳥圭介などにあって、人物評価が定まらない面がある。とはいえ、海舟と武揚の視野は、近代日本が進むべき道を見据えていた。だからといって、両者とも幕臣の矜持を捨てたわけではなかった。勝海舟は徳川家の後見人格として徳川家達や隠居した徳川慶喜の世話をした。とくに慶喜とは、幕末の混乱期に意見の対立があったが、その後、海舟は、慶喜の赦免を新政府に懇願している。そして、駿府に移住する旧幕臣の面倒も見た。榎本武揚も私財を投げ打って窮乏する旧幕臣たちのために援助している。

尺の身の振り方をみると、海舟、武揚に似た所がある。一時、静岡学問所の教師になる予定であったが、箱館裁判所の権判事だった、山東直砥（一郎）が開いた明治塾（北門義塾・北門社明治新塾）の英語の教師になり、その後に、共立学舎を開いた。ちなみに、女優から国会議員になった山東昭子は、山東直砥の曾孫である。

そしてまた、尺振八は、短い期間ではあったが、大蔵省翻訳局に雇いの身分で入局した。いわゆる官途に就いたのである。やせ我慢しなかった一時期である。しかし、これには先に述べた「養子」の件に絡まるそれ相当の理由があった。

大蔵省翻訳局は、井上馨、渋沢栄一によって明治五（一八七二）年に設けられた。行政の近代化の一環として、税制の改革と銀行制度の確立が課題であった。そのために、大蔵省に翻訳局を設置して、外国文献の翻訳を主要業務とし、その他、経済学などの講義があり、開化当時の西欧文化摂取の手段として語学も教えた。いわば、外国語に堪能な金融マンの養成所のような組織で、有給の生徒を募集した教育機関でもあった。入学を許可された生徒は、官費生徒として寄宿舎に入り、授業料と食費は免除され、教科書も給付された。しかも月の手当も支給されている。ここで学んだ島田三郎が「月々六円を貰ひ研究に全力を注ぐ事を得た」と言っている。

この大蔵省翻訳局の局長に、井上馨は中村正直を考えていた。しかし、中村が自由にやらして欲しいといったことから、大蔵省翻訳御用という肩書きをもらって、官途には就かなかった。中村正直（敬宇）は、明治元（一八六八）年に、静岡学問所の漢学部長を務め、明治六（一八七三）年、英学塾の同人社を開学した。中村正直（敬宇）の伝記には、高橋昌郎の『中村敬宇』（吉川弘文館）がある。その中村の代わりに、尺振八が「雇い」という身分で入局し、乙骨太郎乙が教頭格で就任した。共立学舎にいた須藤時一郎、吉田賢輔もスタッフとして入局している。須藤時一郎についてはすでにふれた。吉田賢輔は、慶応義塾や共立学舎で英学を教えた。旧幕臣の古賀謹一郎を師と仰ぎ、その死のときは枕元にいて、『茶渓古賀先生行略』を残している。吉田の経歴については、松野良寅の『東北の長崎　米沢洋学の系譜』（松野良寅）に詳しい。

局長を引き受けた尺は、この学校の制度は、貧書生を救済するにはもってこいだと考えたのである。なにしろ、当時、尺の周辺にいた旧幕臣の若者たちは生活費にこと欠く境遇にいた。田口卯吉も島田三郎も貧書生であった。尺は新政府に仕官することを潔よしとしなかったのだが、田口卯吉らの向学心に富む若者を救済するためには、背に腹はかえられないと思案した。尺にしてみれば、必ずしも本意ではなかったが、翻訳局に入ったといわれている。これも勝海舟、榎本武揚と同じように、困窮している旧幕臣たちへの救済策だったのだ。後に、田口は、「尺振八、乙骨太郎乙の両人が官費もって貧書生を収容し、これを教育する自由を保証するために、節を屈して新政府の役人になったのだ」と述懐している。旧幕臣の家に生まれて、維新後、逆境の中で学問を続けた田口卯吉（鼎軒）の評伝には、『田口卯吉』（田口親　吉川弘文館）がある。

その田口卯吉を始め、大蔵省翻訳局には、尺の共立学舎で学んでいた田三郎、高梨哲四郎、小池靖一（号香梁、嚶鳴社社員。後、貴族院議員）、三輪信次郎（後、衆議院議員）など尺の弟子たちがいた。また、戊辰戦争で江原素六と上総に脱走して政府軍と戦った望月二郎や箱館五稜郭で戦って兄を失った内田万太郎も入局している。甲賀源吾の養子、甲賀宣政が共立学舎に学び、大蔵省翻訳局で勉強した。翻訳局の生徒には沼津兵学校の卒業生が多くいた。その大蔵省翻訳局は、明治七（一八七四）年七月に閉鎖した。

なお、大蔵省翻訳局の尺振八については、鈴木栄樹「開化政策と翻訳・洋学教育―大蔵省翻訳局と尺振八・共立学舎」（山本四郎編『近代日本の政党と官僚』東京創元社）を参考にした。

伊庭八郎を匿う

福沢諭吉は、代々徳川家に仕えたいわゆる譜代の幕臣ではない。江戸で戦争が起こったら逃げ出すと言っていたくらいだ。そして、新政府に仕官しないと言い張ったが、幕臣という視点から見れば、酔った勢いとはいえ、「幕府など潰してしまえ」と言って、尺からたしなめられたように、幕府につかず離れずの、中立、微温の態度があった。もっとも福沢は慶應四（一八六八）年に幕臣を辞めて帰農している。

尺も譜代の幕臣ではない。先にふれた昌平校の寄宿寮に無料で入るための「故ありて」というにわか幕臣であったという解釈もできる。とするならば、それは「借着」の幕臣だ。しかし、大蔵省翻訳局に入局したのは、先にも述べたが、幕臣の貧書生を救済するためであったことは、田口卯吉の談話からも明らかだ。

「略傳」に、伊庭八郎が箱根の戦いで片腕を失い、箱館に逃れる美嘉保丸が難破して政府軍の追手から逃れていたとき、ある人が尺に救助を求めて来たのに応じて、伊庭とは一面識もなかったが、これを庇護したとある。

このいきさつが、伊庭とともに逃げていた中根香亭の回想記「尺振八君の伊庭八郎を救いたる始末」という文章に具体的に出てくるという。尺次郎によれば、この回想記は、島田三郎が清書したものとして尺家に残されているという。しかし、この回想記が『香亭遺文』として、国立国会図書館に架蔵されており、その回想記によると、雙腕の伊庭に同情した中根は、彼を何とかして箱館の榎本軍に合流させる方策はないかと、神田今川小路の杉田廉卿宅にいた乙骨に相談した。乙骨は旧知の尺振八に頼み、伊庭を外国船に乗せて箱館に行かせたという。その伊庭は、箱館の木古内の闘いで、胸に被弾しで戦死した。伊庭の懐には振八の写真があったと伝えられている。伊庭八郎については、『伊庭八郎のすべて』（新人物往来社編）がその全貌を伝えている。八郎の句が残されている。其の昔／都のあとや／せみしぐれ

伊庭八郎を匿った尺は、また、幕府医官松本良順の逃走にも手を貸したといわれている。錦切は、江原素六や津田仙を追いつめ、吹田鯛六の家に踏み込んだように、新政府軍の幕臣たちの大物の落武者狩りは、執拗を極めた。横浜に逃れた松本は、しかし、豪放磊落な人物振りを発揮して、尺の忠告を無視して、街の表通りを闊歩したため、ついに逮捕され監禁生活を余儀なくされた。このときも尺は釈放に尽力

したという（『英学の先達』）。

もっとも、石黒忠悳の回想によると、松本は「幕末には賊軍に投じて東北に奔ったのです。それが庄内まで行って庄内から仏国船に搭乗し、海路密かに横浜へ来て神奈川県令陸奥宗光の家に潜伏中に、東北の乱は平らぎ、東京からの探索が厳しいので堪らなくなって自首して出られたのです」（『懐旧九十年』岩波文庫）と言っている。

それでは、肝心の松本本人はどう言っているかというと、榎本武揚から箱館へ行くことを勧められるが、「勝算なし」とする松本と榎本との意見が合わず、土方歳三も松本の意見に賛同し、江戸へ帰るように勧めた。「幸いに和蘭人スネル氏の船ホルカン号の来たるあり。すなわちこれに搭じて横浜に至り、夜中潜かに上陸し、スネル氏の商館に寓す。幾ばくもなく捕吏大楯某、スネル氏の留守に乗じて来たる。予直ちに出でて共に税関に行き縛に就きたり。即夜駕にて江戸に護送せらる。」（松本良順「蘭疇自伝」東洋文庫）と話はあっさりしていて、尺に匿ってもらったという話はでてこない。ただ、スネルと尺とは、尺の語学修業時代に、スネルの商館に住み込みで、「小斷」（小姓）となったという因縁はあった。

ともかく、尺は、敗走する旧幕臣の行方を心配し、伊庭八郎や松本良順の逃走に手を貸した。しかも、榎本武揚の動向に対して、もし榎本が横浜に来るようなことがあれば、どんな用件でも引き受けると言っている。そして、先に触れたが、中根淑が陸軍参謀局で、上司の命を聞かずに、幕府の軍隊を「賊軍」と呼ぶことを拒否して「東軍」としたように、尺は官軍とか政府軍とは呼ばずに「南軍」と言っていたという。尺は旧幕臣のこだわりを持っていた。「借着幕臣」ではなかったのだ。

尺振八先生

尺振八は、明治一九（一八八六）年一一月二八日、療養先の熱海で死去した。

原抱一庵の「尺振八先生」（『太陽』明治二九・一・五　第二巻第一号）によれば、死期を悟った振八は、妻に身の回りの物を焼却するように命じ、葬儀は質素にし、多くの人に知らせなかった。「先生と兄弟啻ならざりし福澤諭吉氏にすらシラセを贈らず。葬送の日諭吉氏馬を驅りて疾走し來り、遺族に向ふて何故に先生の死を余に報じ來らざる歟不親切も亦極まる」と恨み言を言ったとある。後にもふれるが、福沢諭吉と尺振八との交流には、隔靴掻痒の気味があったようにも思われる。

尺は、借着幕臣ではなかったと先にいったが、原は尺の処世について、幕府の旧恩を捨てず、二君に仕えることをせず、「到底薩、長政府に謳歌する能はず、其反動は熱心なる佐幕黨となれり」とはっきり言っている。

また、福沢諭吉と津田仙と尺振八とは、思想上も、交情の上でも三人兄弟のごとくであった、としつつも、福沢については、「無二の友として待てる福澤も政府に仕へざれ、翩々才子風のものとなりて得意貌なり。先生頗ぶる交友に平かなる能はず」と、福沢が「翩々才子風」(才気ばしって軽佻浮薄)気味なのに親しめず、「浅くして廣き福澤諭吉氏の著述に感謝する社會は、純粋にして精刻なる尺先生の譯本に感謝するを忘るべからざるなり」といっている。「シラセを知人に多く遣る勿れ」という遺言はあったにしろ、尺の訃報を福沢に知らせなかったのは、この辺の事情があったのかも知れない。

そして、尺の英語力は、中村正直や福沢諭吉らの遠く及ぶところではない、天下一流のものと称揚している。昭和時代になってからの評価も、森川隆司が尺の翻訳の水準の高さを認めているし、教育学者の海後宗臣が、「斯氏教育論改題」(『明治文化全集』日本評論社)で「日本文としても実に立派なものであり、恐らくは原文以上の名文を以て述べられている」と評価している。

原は言う。「福澤先生の名の忘れられざる限り、新島先生の名を忘れられざる限り、中村正直先生の名を忘れられざる限り、尺振八先生の名は決して忘れらるべきものにあらず」と結んでいる。しかし、この四人のなかで一番世間から忘れられているのは、尺振八だ。

「尺振八先生」を書いた原抱一庵（余三郎）は、福島県の出身。札幌農学校で学ぶが中退。『報知新聞』の文芸記者などをしながら、小説家をめざした。自由民権運動に肩入れしこともあって、幕臣の末流にいた。この追悼文を書くにあたって、尺の弟子であった島田三郎の校閲を得たと言っている。これまでしばしば登場した、沼津兵学校で学んだ島田三郎は、『横浜毎日新聞』を創刊して民権論を鼓吹。明治・大正期のジャーナリストとし名を馳せた。後に政治家として活躍。自由主義者として、木下尚江らと廃娼運動、足尾鉱毒事件などを支援した。高橋昌郎の『島田三郎伝』（まほろば書房）がある。

旧幕臣の教育ネットワーク

乙骨太郎乙の「略傳」と尺次郎の『英学の先達』を主な参考文献として、これまで書いてきたが、この伝記を整理しながら、尺振八の人的ネットワークを次ぎに描いておこう。この人的ネットワークが期せずして、旧幕臣の教育ネットワークを形成していると思われるからだ。

まず、尺が幕末天下の動向について意見を求めた田辺太一は、先にもふれたが、沼津兵学校の一等教授。その甥に当たる田辺朔郎は、沼津兵学校の卒業生で、工手学校（現・工学院大学）の土木学科の講師でもあった。また、ついでにいえば、樋口一葉と並び称されて「藪の家」の作家、田辺花圃は、田辺太一の長女で、朔郎の従姉妹に当たる。

田辺太一の父田辺石庵の私塾には、榎本武揚が通い、吉田賢輔、明治女学校の木村熊二がいた。そして、その近くにあった川田甕江の塾では新島襄が勉強していた。新島は、プィリップス・アカデミーを卒業する前に、アメリカでの生活を報告するために父民治に宛てた手紙の追伸で、「別して吉田賢輔・鈴木振八は小子の親友に御座候、若し御逢い成され候はゞよろしく御伝言下さるべく候」(『新島襄書簡集』岩波文庫)と書き、その後の手紙でも「尺振八君よりも一書到来仕り、」と書き送っている。鈴木振八は、尺振八である。

沼津兵学校の教授であった、乙骨太郎乙の聞き書きに尺が答えて、「米国公使館ニ詰メ、通訳官ノ職務ヲ執ル。時ニ矢野二郎、益田孝、津田仙等、皆同僚タリ」と、旧幕臣の矢野二郎、幕府陸軍に入隊した益田孝、学農社の津田仙の名を挙げている。

矢野二郎は尺とともに外国語通弁に携わり、森有礼の商法講習所(現・一橋大学)の校長に就任したが、そのとき「任にあらず」と辞退した矢野を同僚として説得したのが益田孝であった。矢野二郎には、島田三郎が編者となった『矢野二郎傳』(矢野二郎翁傳記編纂會)があり、益田孝には『自叙益田孝翁伝』(長井実編　中公文庫)、津田仙には『津田仙評伝』(高崎宗司　草風館)がある。

ところで、同志の絆が強い矢野、益田、津田は、立石斧次郎の立石塾に通って英語を学んでいる。その立石塾の主宰者立石斧次郎は、トミー立石と呼ばれ、英語というよりアメリカン・イングリッシュが達者だったという。斧次郎は江戸小石川小日向の馬場東横町に幕臣直参の旗本、小花和度正の次男として生まれた。戊辰戦争の時は、将軍徳川家茂と徳川慶喜の身辺警護に当たったという。万延元(一八六〇)年、日米修好通商条約批准書交換のため随員としてアメリカに渡り、この時人気者となって「トミー」の愛称で呼ばれた。その立石が開いた英学塾は、田辺太一の家の裏手にあって、両家が出入りしていたという。塾では英語で喋ることが原則であった。トミーは、晩年には長野桂次郎と名乗った(『洋學史事典』では、長野桂次郎で立項されている)。また、里子に出されたときは、横尾為八、母の実家の養子になった時は半田為八といった。立石斧次郎については、『トミーという名の日本人　日米修好史話』(金井圓　文一総合出版)がある。

少年時代、横浜の路地で莫蓙を敷いて古本を売っていた田口卯吉が、共立学舎で学んだことは既にふれた。卯吉と沼津兵学校で一緒だった島田三郎は、尺の弟子になっている。それに、田口、島田は木村熊二の明治女学校の発起人だ。三浦女学校を創立した、幕臣でキリスト教牧師の三浦徹も共立学舎に学んでいる。大蔵省翻訳局の乙骨太郎乙を始め、その関係者は尺周辺の人物だ。すでに述べたが、箱館戦争で難破した回転丸の甲賀源吾の家系を継いだ甲賀宣政は、共立学舎に学び、大蔵省翻訳局に通った。

尺の弟子には、秋田鉱山専門学校初代校長で、旧幕臣の系譜にいる小花冬吉、共立学舎に学び、後に渋沢栄一、中野武営、団琢磨らと実業界で活躍した郷誠之助、西郷隆盛の子で、二代目京都市長の西郷菊次郎などがいる。余談ながら、明治・大正期の作家で樋口一葉の師匠というか、恋人というかの半井桃水が共立学舎に入って学僕のようなことをしていたという。

尺振八の共立学舎は、福澤諭吉の慶應義塾を範としながら経営され、これまで述べてきたように、旧幕臣が中心となって運営した静岡学問所、沼津兵学校、商法講習所、工手学校、育英黌農学校、同人社、学農社農学校などの人材が連環的に交流している。これを以て見れば、戊辰敗者たちは強靭な連帯意識をもって生きなければならない環境にあったと言えるだろう。それは、敗れし者の静かなる闘いであった。そこに旧幕臣の教育ネットワークの紐帯を見るのである。

なお、本論は『隣人』（草志会年報24・二〇一一・五）に発表したものであり、それに訂正、補筆した。

あとがき

本書を執筆したのは、ほぼ十数年前である。しばらく筐底に放置してあったが、フト思い出しこれを老人（八十六歳）の私碑として印行しておこうと思い立ったのである。それは、「敗れし者の静かなる闘い」と題したごとく、時代錯誤の誹りを受けるかもしれないのだが、わが家系には、曽祖父から流れている旧幕臣という素性意識がわだかまっているからである。戊辰戦争で一敗地にまみれた会津藩の末裔は、現在でも、薩長とは仲良くするが仲直りは出来ないという怨念を抱えているという。

あらためて言えば、曽祖父邦彦は、戊辰戦争の敗者であった。敗残者として江戸に辿り着いたが、ほどなく壮年という時に病没した。ために長男であった祖父廉太郎は、母の内職で食いつなぐ家計を、学業を途中で放棄して働きに出て弟妹の米塩を補った。長ずるに及んで、祖父の前途は暗かった。学歴はなく、薩長覇権の世では官途の道は狭かった。そこで祖父が選んだ道は筆で立つことであった。薩長の栗は食まないとの気概を持って、東北の辺境の地に流れ、仙台、山形の自由党系の地方新聞で、藩閥打倒、官僚政治打破を訴えたのであった。そして、「日本人民ノ中最モ王化ニ霑ハザル東北ノ地ニ平民政治」をと声高に叫んだのである。

幕末史を書く作家中村彰彦は、東北蔑視の感覚は今なお生きていると次のように言う。「旧斗南藩領地の陸奥大湊港が原子力船「むつ」の母港に指定され、東海道新幹線が昭和三十九年に開通したのに対し、東北新幹線（上野―盛岡）のそれが十二年後であった」（「順逆史観の登場」『幕末史かく流れゆく』中央公論新社）と。そんな話を聞くにつけ、読むにつけ、その歴史的関心事は、旧幕臣の動静に向くのである。粗放なものだが、その行き先がこの物語の成り立ちである。

ところで、「日本古書通信」とは長い付き合いである。『茅原華山年譜・著作目録稿』を私家版で出した折、生涯現役の八木福次郎氏から勤め先に電話があって、「年譜・著作目録」の作成苦労話でも書かないかと誘われた。昭和五九年頃である。忝い話である。学生時代に立ち寄った古書会館は、平屋の畳敷きの建物だった。その平屋がビルに建て替えられた一隅に社を構えていた日本古書通信社を訪ね、初めて八木さんにお目にかかった。その時に書いたのが「古本仲間やよし」だった。

それから、「日本古書通信」との縁が続いて、古本は専ら足で探す時代に、度々寄稿して誌面を汚した。かれこれ四〇年近くになる。今回、その日本古書通信社から、編集長樽見博氏のご厚意により、この晩年の拙書を印行することになった。テーマとしては「古書」とは直接関係はないが、「温故知新」は通底するものがある。萬謝。

本書執筆にあたって、資料検索では孫の久原啓（上智大学総合人間科学部社会学科卆）の手を借り、主要人名索引の作成では、現在ソルボンヌ大学に留学中の孫の久原萌（上智大学外国語学部フランス語科在学）の協力を得た。労をねぎらいたい。

なお、表紙カバーに使用した「利用為大作」の扁額（工学院大学所蔵）は、工手学校中興の祖である、日本土木学界の権威古市公威が揮毫したものである。

二〇二一年八月一五日　　疎開地や米食へぬ日々敗戦忌

茅原　健

参考文献

□学校史
『学制百年』（文部省　昭和四七・一〇）
『工学院大学学園百二十五年史』（中央公論新社　二〇一九・九）
『東京農業大学七十年史』（記念事業委員会　昭和三六・一〇）
『目でみる東京農大百年』（東京農業大学　一九九一・五）
『東京医科大学五十年史』（東京医科大学　一九八一）
『日本医科大学八〇周年記念誌』（日本医科大学　昭和五八・一一）
『慶應義塾百年史』（慶應義塾　一九八五・三）
『同志社百年史』（同志社　一九七九・一一）
『攻玉社百二十年史』（攻玉社学園　昭和五八・一〇）

□著編書
静岡県立教育研修所『静岡県教育史』（静岡県教育史刊行会　昭和四七・一一）
赤松範一『赤松則良半生談　幕末オランダ留学の記録』（昭和五二・一一　東洋文庫）

山下太郎『明治の文明開化のさきがけ—静岡学問所と沼津兵学校の教授たち』(北樹出版　一九九五・九)
米山梅吉『幕末西洋文化と沼津兵学校』(昭和九・四)
大野虎雄『沼津兵学校と其人材　附属小学校並沼津病院』(大野寛孝　昭和五八・一二)
沼津市『沼津市史　通史編　近代』(沼津市史編さん委員会　平成一九・三)
樋口雄彦『旧幕臣の明治維新　沼津兵学校とその群像』(吉川弘文館　二〇〇五・一一)
樋口雄彦『沼津兵学校の研究』(吉川弘文館　二〇〇七・一〇)
村田　勤　清水由松校閲『江原素六先生伝』(三省堂　昭和一五・一二)
辻　真澄『江原素六』(駿河新書　昭和六〇・一)
吹田順助『旅人の夜の歌—自伝—』(講談社　昭和三四・一)
飯田賢一『科学と技術』(岩波書店　一九八九・二)
永井菊枝『小伝　乙骨家の歴史　江戸から明治へ』(フィリア　二〇〇六・六)
田口　親『田口卯吉』(吉川弘文館　二〇〇〇・一一)
加茂儀一『榎本武揚』(中公文庫　昭和六三・四)
竹村　篤『小説　東京農大』(揺籃編・青嵐編　楽游書房　昭和五五・四)

参考文献

松田藤四郎『榎本武揚と東京農大』（東京農大出版会・二〇〇一・七）
秋岡伸彦『ドキュメント榎本武揚　明治の『読売』記事で検証（東京農大出版会　二〇〇三・八）
茅原　健『工手学校』（中公新書ラクレ　二〇〇七・六）
東京商工会議所編『渋沢栄一　日本を創った実業人』（講談社　二〇〇八・一一）
瀧井一博『渡邊洪基―衆智を集むるを第一とす』（ミネルヴァ書房　二〇一六・八）
蘇門山人『長谷川泰先生小伝』（山口梧郎　昭和一〇・一〇）
長委三美『東京医科大学建学の礎』（東京医科大学　二〇〇七・八）
東医学生会『奮闘之半年』（東京医科大学維持会　平成八・一一　復刻版）
山路愛山『基督教評論・日本人民史』（岩波文庫　昭和四一・三）
坂本多加雄『山路愛山』（吉川弘文館　昭和六三・九）
日蘭学会編『洋学史事典』（日蘭学会　昭和五九・九）
太田愛人『明治キリスト教の流域』（築地書館　一九七九・三）
太田愛人『開化の築地　民権の銀座』（築地書館　一九八九・一五）
小沢三郎『日本プロテスタント史研究』（東海大学出版会　一九六四・五）

中西拓子『開国の時代を生きた女からのメッセージ』（碧天舎　二〇〇二・一〇）
藤田美実『明治女学校の世界』（青英舎　一九八四・一〇）
横浜プロテスタント史研究会『横浜開港と宣教師たち―伝道とミッションスクール』（有隣堂　平成二〇・九）
中島耕二・辻直人・大西晴樹『長老・改革教会来日宣教師事典』（キリスト教史双書・新教出版社　二〇〇三・三・二五）
秋山繁雄『明治人物拾遺物語―キリスト教の一系譜』（新教出版社　一九八二・一〇）
手塚竜麿『日本近代化の先駆者たち』（吾妻書房・一九七五）
東京都『東京の女子教育』（都史紀要九　昭和三六・一一）
小河織衣『女子教育事始』（丸善株式会社　平成七・八）
福沢諭吉『福沢諭吉教育論集』（岩波文庫一九九一・三）
福沢諭吉『福翁自伝』（岩波文庫　一九九一・六）
飯田　鼎『福沢諭吉　国民国家論の創始者』（中公新書　昭和五九・三）
北川千秋『築地明石町今昔』（聖路加国際病院礼拝堂委員会　一九八六・一〇）
同志社編『新島襄書簡集』（岩波文庫　一九五四・一二）

参考文献

同志社編『同志社山脈』(晃洋書房　二〇〇三・一)
太田雅夫『新島襄とその周辺』(青山社　二〇〇七・三)
林　季樹『近藤真琴先生傳』(攻玉社　昭和一二・一)
豊田　穣『夜明けの潮　近藤真琴の教育と子弟たち』(新潮社　昭和五八・九)
中村正直『西国立志編』(講談社学術文庫　昭和五六・一)
高橋昌郎『中村敬宇』(吉川弘文館　昭和六三・二)
村山吉廣『漢学者はいかに生きたか〈近代日本と漢学〉』(大修館書店　一九九九)
治郎丸憲三『箕作秋坪とその周辺』(箕作秋坪伝記刊行会　昭和四五・六)
森川隆司『漱石の学生時代の英作文三点―幕末明治英学史論集』(近代文藝社　一九九三・七)
富田仁『フランス語事始―村上英俊とその時代』(NHKブックス　昭和五八・七)
小山文雄『明治の異才　福地桜痴　忘れられた大記者』(中公新書　昭和五九・一〇)
尺　八郎『英学の先達　尺振八』(はまかぜ新聞社　平成八・二)
東京都『東京の英学』(都史紀要一六　昭和三四・三)
惣郷正明『洋学の系譜　江戸から明治へ』(研究社出版・一九八四)

小林功芳『英学と宣教の諸相』（有隣堂　平成一二・八）
陸　羯南『近時政論考』（岩波文庫　昭和四七・一一）
鈴木　明『維新前夜』（小学館　一九八八・六）
金井　圓『トミーという名の日本人　日米修好史話』（文一総合出版　昭和四五）
小野寺竜太『古賀謹一郎』（ミネルバ書房　二〇〇六・五）
多田建次『日本近代学校成立史の研究』（玉川大学出版部　一九九八・二）
都田豊三郎『津田仙―明治の基督者』（都田豊三郎　昭和四七・一一）
高崎宗司『津田仙評伝』（草風館　二〇〇八・三）
クララ・ホイットニー『勝海舟の嫁　クララの明治日記』（中公文庫　一九九六）
奈良本辰也『男たちの明治維新』（文春文庫　一九八〇・一〇）
小田勝太郎『東京諸学校学則一覧』（英蘭堂　明治一六）
下村泰大『東京留学独案内』（春陽堂　明治一八・五）
佐久間恵美『京都遊学案内』（中西印刷会社　明治三五・六）
木戸照陽『東洋立志編』（明玉堂　明治二三・八）
山田秋村・武部竹雨『在野名士鑑』（明治二五・二六）

参考文献

実業之日本社『実業家奇聞録』(明治三三・一一)
松村介石『人物短評』(警醒社　明治三五・七)
河本亀之助『英雄物語』(良民社　明治四四・九)
石井研堂『明治事物起原』(ちくま文芸文庫)
中山泰昌『新聞集成　明治編年史』(本邦書籍　一九八二)
宮武外骨・西田長寿『明治新聞雑誌関係者略伝』(みすず書房　一九八五・一一)
伊藤　整『日本文壇史』(講談社学術文庫)
杉本邦子『明治文芸雑誌―その軌跡をたどる』(明治書院　平成一一・二)

図版・「静岡学問所跡之碑」(静岡県総合教育センター)「沼津兵学校址」(Mydoblog サイト)、「商法講習所発祥碑」(筆者撮影)、「工学院大学学園発祥之碑」(筆者撮影)、「東京農業大学開校の地」(筆者撮影)、「高橋琢也銅像」(東京医科大学)、「明治女學校之址」(庚申塚商栄会)、「慶應義塾」(慶應義塾)、「同志社英語学校」(同志社)、「同人社跡」(Fourquare サイト)、「箕作秋坪」(ウィキペディア)、「南部利恭」(同上)、「津田仙」(同上)、「尺振八」(「ぶらり両国街かど展実行委員会」・「明治文化全集第⑩巻」)

主要人名索引

索引

う

う

え

お

索引

か

き

す

せ

そ

た

ち

つ

て

と

な

に

ぬ

の

は

ひ

ふ

へ

ほ

ま

み

む

め

も

や

ゆ

よ

り

る

ろ

·わ

渡辺淳一 94
渡部温 46,47
渡部重三郎 46
ワット 150

※文中にある教科書執筆者の外国人名は省略した。

茅原　健

一九三四年、東京に生まれる。中央大学法学部卒業。工学院大学学園開発本部部長を経て、エステック㈱専務取締役。その後、㈶日本私学教育研究所研究員、事務局長、理事などを歴任。工学院大学参与。
著書・『茅原華山と同時代人』（不二出版）、『華山追尋』（朝日書林）、『民本主義の論客　茅原華山伝』（不二出版）、『工手学校人物誌』（朝日書林）、『新宿・大久保文士村界隈』（日本古書通信社）、『工手学校』（中公新書ラクレ）、『雞肋集』（私家版）、『書架拾遺』（日本古書通信社）など。

敗れし者の静かなる闘い
―旧幕臣の学び舎―

二〇二一年八月一五日　発行
定価　本体二〇〇〇円＋税

著　者　茅　原　　健
発行者　八木　壮一
発行所　㈱日本古書通信社
〒101-0052　東京都千代田区神田小川町三―八
駿河台ヤギビル５Ｆ
電　話　〇三―三二九二―〇五〇八
印刷所　上毛印刷株式会社

ISBN978-4-88914-068-2 C0037